Claire Pinson

150 RECETTES POUR VIVRE CENTENAIRE

•MARABOUT•

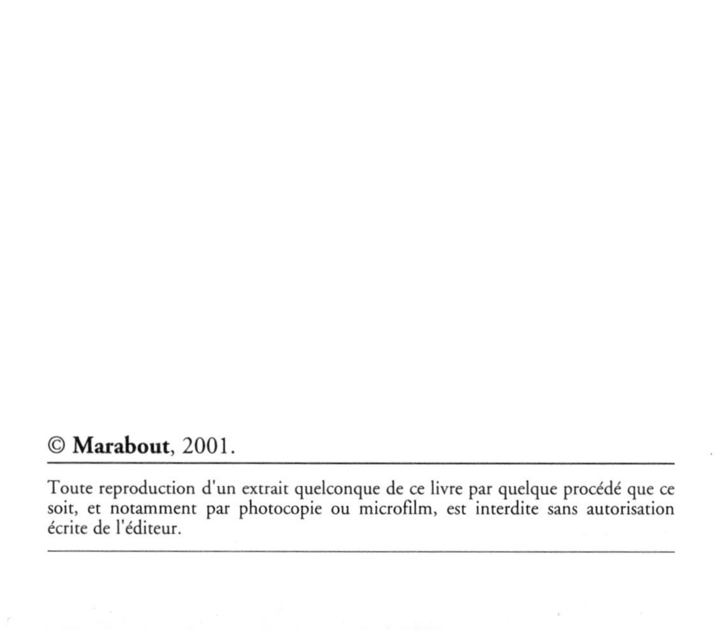

Sommaire

Introduction 7

Les grands principes de l'alimentation anti-vieillissement 9

Les antioxydants 9

Mangez juste pour vieillir moins vite 10

Une aide précieuse 12

Antioxydants contre radicaux libres 13

L'essentiel des antioxydants 14

- Les vitamines 14

- Les sels minéraux et oligo-éléments 22

- D'autres substances antioxydantes 26

- Quelques aliments trésors 29

Recettes

Entrées 33

Viandes 63

Poissons 95

Légumes 125

Féculents 153

Desserts 173

Introduction

Une alimentation en or

Nul besoin d'aller au bout du monde pour glaner les secrets d'une éternelle jeunesse. La plupart des produits que vous pouvez acheter sur le marché ou au supermarché du coin détiennent des vertus exceptionnelles. En manger suffisamment et connaître les bonnes combinaisons permettent de recouvrer et de conserver la santé, ainsi que de lutter contre de nombreuses maladies.

Vous disposez d'un arsenal complet de substances qui vous permettront de vivre mieux, plus longtemps, à condition de vous fier à certains préceptes essentiels :

- Éviter les aliments riches en graisses animales.
- Privilégier les huiles végétales, notamment l'huile d'olive vierge extra et l'huile de tournesol, protégeant contre les maladies cardio-vasculaires.
- Regarder de loin la *junk food* (hamburgers, pizzas, biscuits apéritifs…) et autres aliments gorgés de suppléments et conservateurs pas toujours très bons pour la santé.
- Consommer un maximum d'aliments contenant des vitamines, sels minéraux, oligo-éléments, acides gras essentiels, antioxydants et autres substances permettant de lutter contre l'apparition de certaines maladies et contre le vieillissement prématuré.

- Préférer les aliments « bio » aux aliments courants ; d'une part, ils contiennent moins de pesticides et herbicides que les produits de consommation courante. D'autre part, ils ont été nettement moins raffinés, ce qui leur a permis de conserver un maximum de bons nutriments.
- Prendre le temps de cuisiner afin de savoir exactement ce que contiennent vos plats et ce qu'ils pourront pour vous.

Il n'est pas utile de consommer une multitude de suppléments alimentaires afin de combattre les effets du vieillissement. Le fait d'organiser ses menus autour d'aliments riches en substances antioydantes, qui ont pour propriété de retarder les manifestations du vieillissement et de lutter contre certaines maladies, est en soi suffisant.

Ce recueil de recettes vous permettra de préparer des plats simples, délicieux, appréciés de tous, afin de manger malin tout en vous régalant. Chacune des recettes combine le plus possible d'aliments riches en substances antioxydantes, afin de donner à votre organisme les défenses dont il a besoin pour lutter contre le vieillissement prématuré et les maladies.

LES GRANDS PRINCIPES DE L'ALIMENTATION ANTI-VIEILLISSEMENT

Les antioxydants

Certains sels minéraux, oligo-éléments et vitamines constituent de précieux antioxydants Un antioxydant est une substance qui s'oppose à l'effet ravageur des radicaux libres, molécule instable ayant perdu un électron, et agissant comme une véritable petite bombe dévastatrice dans l'organisme. Le corps possède son propre « staff » d'agents antioxydants qui le débarrassent des éléments oxydants. Néanmoins, pour compléter leur action, il convient de consommer le plus possible d'aliments contenant des antioxydants. En effet, les antioxydants présents dans l'alimentation éliminent une partie des radicaux libres ayant résisté aux défenses de l'organisme.

Les plus connus sont le bêta-carotène, les vitamines C et E. On peut les trouver dans la plupart des fruits et des légumes (vitamines A et C), ou dans les huiles végétales (vitamine E).

On parle également beaucoup du zinc, du sélénium et du lycopène. Nous verrons plus loin de quoi il s'agit.

Mangez juste pour vieillir moins vite !

Les antioxydants sont présents dans l'alimentation. On en trouve notamment dans :

Certains légumes :
- L'ail.
- L'avocat.
- L'asperge.
- La betterave.
- Le brocoli.
- La carotte.
- La courge.
- La courgette.
- Les choux (chou vert, de Bruxelles, frisé, pommé, rave...).
- Le cresson.
- Les épinards.
- La laitue.
- Le navet.
- Les oignons.
- Les patates douces.
- Les petits pois.
- Le piment.
- Le poivron (rouge et vert).
- Le radis, le radis noir.

Certains fruits :
- L'abricot, l'abricot sec.
- La citrouille.
- Les fraises.
- Les framboises.
- Le kiwi.
- La goyave.
- La mangue.
- Le melon, le melon d'eau.

- L'orange et les agrumes (pamplemousse, mandarine, clémentine), le jus d'oranges.
- La papaye.
- Les tomates.
- Le raisin.

Certains oléagineux :
- Les arachides.
- Les graines de tournesol.
- Les noix de cajou.
- Les amandes.
- Le sésame.
- Les noix du Brésil.
- Les pistaches.
- Les noix.
- Les graines de citrouille et de courge.

Certaines céréales et légumineuses :
- L'avoine.
- Le soja.
- Les haricots secs.
- Le blé soufflé, le germe de blé, le boulghour.
- Le son de blé, le son de riz.
- Les pois chiches.

Certains aromates :
- Le basilic.
- Les clous de girofle.
- Le cumin.
- Le gingembre.
- La marjolaine.
- La menthe.
- La moutarde.
- La noix de muscade.
- Le poivre.
- La réglisse.
- La sauge…

Le poisson et les produits de la mer :
- La sardine.
- Le maquereau.
- Le thon.
- Les huîtres.
- Le crabe.

Certaines viandes :
- Le foie de poulet.
- Le jambon bouilli.
- Le veau maigre.
- Le pot-au-feu.
- La dinde.

Les huiles végétales (vitamine E) :
- L'huile d'olive.
- L'huile de germe de blé.
- L'huile de soja.
- L'huile de maïs.
- L'huile de tournesol.
- L'huile de carthame.
- L'huile de sésame.
- L'huile d'arachide…

Une aide précieuse

Consommer chaque jour des substances antioxydantes aidera votre corps à lutter contre le vieillissement. Il aura les armes nécessaires pour compléter l'action des antioxydants normalement synthétisés par l'organisme.

Partant du principe que deux précautions valent mieux qu'une, mieux vaut, à une époque où notre alimentation est, le plus souvent, aberrante et incomplète, prévenir la maladie et retarder le vieillissement en consommant les substances adéquates.

Quand le stress ou le surmenage vous guettent, votre

organisme est fragilisé. Il éprouve davantage de difficultés à se défendre contre les agressions des radicaux libres. Consommer des aliments vivants, riches en substances capables de lutter contre l'ennemi, est le plus sûr moyen de l'aider à surmonter ces difficultés et à ne pas sombrer dans la maladie.

Consommer des aliments riches en antioxydants constitue une façon responsable de gérer sa santé et de retarder les effets du vieillissement. À une époque où l'on est amené à vivre de plus en plus longtemps, le fait de gérer intelligemment son alimentation permet de mieux lutter contre la maladie et les effets néfastes de l'âge.

Antioxydants contre radicaux libres

Ils empêchent l'oxydation de certains éléments métalloïdes, permettent à l'organisme de rester performant et en bonne santé, au système immunitaire de rester efficace et de lutter contre toutes sortes de maladies dégénératives.

Les antioxydants possèdent un système de défense spécifique.

Ce système de défense intercepte les agents oxydants et inhibe la réaction en chaîne, responsable de la formation de nouveaux agents oxydants.

Les antioxydants réparent les dommages causés par les agents oxydants qui n'ont pas été éradiqués à temps.

Ils éliminent les agents oxydants de l'organisme. Aidez votre corps à se défendre, en consommant suffisamment d'agents antioxydants.

Les antioxydants éliminent et remplacent les molécules qui ont été endommagées.

Après leur combat contre les radicaux libres, ils nettoient le champ de bataille et détruisent les substances indésirables générées par leur activité.

L'essentiel des antioxydants

Les vitamines

Le bêta-carotène et les caroténoïdes

Le bêta-carotène est le caroténoïde le plus connu du grand public. Il s'agit d'un pigment orangé présent dans de nombreux fruits et légumes. La prise de bêta-carotène préviendrait le cancer du poumon, de l'estomac, de l'œsophage, de l'intestin grêle, de l'utérus, du col de l'utérus, les accidents vasculaires cérébraux (thrombose, hémorragie cérébrale...), les accidents cardio-vasculaires (angine de poitrine, infarctus...). Il lutterait contre l'arythmie cardiaque et, comme les vitamines C et E, préviendrait l'altération du bon cholestérol LDL. Son rôle dans le bon fonctionnement des muqueuses respiratoires et cutanées est également prépondérant.

On conseille une prise quotidienne de 5 000 à 25 000 UI (unités internationales) de bêta-carotène par jour.

L'alpha-carotène est un autre caroténoïde, présent en grande quantité dans la citrouille et les carottes cuites à la vapeur. Son effet protecteur de la peau, de la vue, du foie et des poumons serait dix fois plus puissant que celui du bêta-carotène.

Leur action

- Lutte contre les radicaux libres et les troubles qui sont liés à leur action : cataracte, vieillissement prématuré, athérosclérose, cancérisation, etc.
- Protection contre certaines substances cancérigènes.
- Synthèse de la vitamine A dans l'organisme.
- Protection contre les carences en vitamine A : mauvaise vision nocturne. Peau sèche et rugueuse. Susceptibilité accrue aux infections (la vitamine A stimule l'immunité générale).

Où les trouve-t-on ?
Patate douce • Abricots secs, abricots frais • Pêches • Carottes • Chou • Chou de Bruxelles • Brocolis • Épinards • Citrouille • Melon • Laitue • Courge • Pamplemousse rose • Mangue…

Le lycopène
Le lycopène fait également partie des pigments appelés caroténoïdes. Il est présent en grande quantité dans la tomate et dans les fruits et légumes à chair rouge. On lui prête de larges propriétés anticancéreuses. Sa consommation régulière et suffisante préviendrait l'apparition et le développement des cancers de la prostate, du pancréas, de l'appareil digestif, du rectum, de la vessie, des poumons, du sein et du col de l'utérus.

Elle permettrait également de prévenir l'apparition de maladies cardio-vasculaires et la dégénérescence maculaire de la rétine, principale cause de cécité chez les personnes âgées de plus de 65 ans.

Le lycopène de la tomate serait plus facilement utilisé par l'organisme s'il provient de produits transformés ou de tomates cuites. Il se dépose ainsi dans les tissus de l'organisme (foie, poumons, prostate, côlon, peau…).

Son action
- Lutte contre le vieillissement.
- Prévention de l'apparition et du développement de certains cancers.
- Prévention des maladies cardio-vasculaires.
- Protection de la rétine…

Où le trouve-t-on ?
Tomate • Tous les dérivés de la tomate : concentré de tomates, ketchup, jus de tomates, sauce tomate… • Pamplemousse rose • Goyave • Pastèque • Fruit du rosier • Abricot • Épinards • Brocolis…

La lutéine

La lutéine est un caroténoïde présent dans la plupart des légumes à feuilles vertes. Elle est réputée pour ses propriétés anticancéreuses (elle protège notamment contre l'apparition et l'évolution du cancer du poumon), son action positive sur le système immunitaire, et son effet protecteur du cœur et des yeux ; elle lutte notamment contre une maladie qui atteint 25 % des personnes âgées de plus de 65 ans : la dégénérescence maculaire de la rétine, qui est la deuxième cause de cécité, après la cataracte, en protégeant les lipides qui entrent dans la constitution de la rétine.

Son action

- Lutte contre le vieillissement en général.
- Lutte contre l'apparition et l'évolution de cancers, notamment le cancer du poumon.
- Lutte contre la formation de la plaque d'athérome.
- Lutte contre la dégénérescence maculaire de la rétine.

Où la trouve-t-on ?

Épinards • Chou • Brocolis • Laitue • Mangues • Oranges • Papayes • Pêches • Poivron • Soja.

La vitamine C

La vitamine C a donné lieu à de nombreuses études ; ses vertus antioxydantes ont été démontrées, notamment en ce qui concerne la prévention des maladies cardiaques et du cancer du poumon. Elle agit au cœur de la cellule, en luttant contre les effets dévastateurs des radicaux libres.

Elle permet, entre autres, à l'organisme d'accroître ses défenses immunitaires, améliore la résistance des parois des vaisseaux sanguins et des capillaires, aide l'organisme à lutter contre les effets de la pollution, facilite la régénération de la peau et l'absorption de sels minéraux tels que le fer et le calcium, prévient l'apparition de la cataracte, de l'asthme, de la bronchite et de l'azoospermie, et joue un rôle dans la fabrication des neurotransmetteurs.

Les fumeurs et les diabétiques, exposés aux carences, veilleront à supplémenter leur alimentation en vitamine C.

La vitamine C régénère la vitamine E ; veillez à les consommer toutes deux en quantité suffisante.

Un apport quotidien de 60 mg est généralement préconisé.

Son action

- Prévention du vieillissement.
- Prévention du cancer.
- Renforcement du système immunitaire.
- Régularisation du rythme cardiaque.
- Protection des gencives contre les saignements.
- Renforcement de l'émail dentaire.
- Lutte contre les douleurs articulaires.
- Lutte contre l'anémie.
- Lutte contre les effets dévastateurs du tabac.
- Aide à la stabilisation du diabète.
- Normalisation du taux de cholestérol.
- Lutte contre le stress.
- Prévention de l'arthrite…

Où la trouve-t-on ?

Mangue • Goyave • Poivron rouge • Poivron vert • Melon • Piment • Papaye • Fraises • Choux de Bruxelles • Kiwi • Orange • Pamplemousse • Citron • Tomates • Brocolis • Chou-fleur • Petits pois • Chou • Asperge • Raisin • Oignon • Persil • Épinards • Navets…

La vitamine E, ou tocophérol

La vitamine E constitue un antioxydant liposoluble (soluble dans les graisses) puissant. Elle aide à maintenir l'intégrité des membranes cellulaires en empêchant l'oxydation des lipides qui les constituent.

Elle permet également au système nerveux de rester en

bon état de fonctionnement. Un apport suffisant en vitamine E aiderait ainsi à prévenir certaines maladies telles que les maladies d'Alzheimer ou de Parkinson.

Elle est également l'amie du cœur et des artères et, en empêchant l'oxydation du cholestérol LDL par les radicaux libres, elle prévient la formation de caillots sanguins dans les vaisseaux. Elle permet également de lutter contre l'arythmie cardiaque, l'angine de poitrine et l'infarctus.

La vitamine E est régénérée par la vitamine C ; elles doivent donc être consommées toutes les deux, en quantité suffisante.

On conseille un apport quotidien de 8 à 10 UI (unités internationales) par jour.

Son action

- Action antioxydante.
- Lutte contre le vieillissement.
- Prévention d'anomalies neurologiques.
- Prévention de l'oxydation des membranes des cellules du cerveau.
- Joue un rôle dans la respiration tissulaire (cœur et muscles).
- Augmente l'endurance musculaire.
- Prévient la formation de caillots dans les vaisseaux sanguins, l'athérosclérose, la phlébite, la thrombophlébite, la survenue d'une angine de poitrine, d'un infarctus du myocarde, en association avec la vitamine C.
- Protège les globules rouges.
- Combat l'anémie.
- Prévient la cataracte.
- Prévient l'apparition d'hémorroïdes.
- Combat les crampes des membres inférieurs.
- Lutte contre l'emphysème.
- Prévient l'apparition de cicatrices inesthétiques…

Où la trouve-t-on ?

Huile de germe de blé • Huile de soja • Huile de maïs •

Huile de tournesol • Graines de tournesol • Huile de carthame • Huile de sésame • Huile d'arachide • Cacahuètes • Germes de blé • Noix, noix de cajou • Amandes • Avelines • Soja • Son de riz, son de blé • Haricots secs...

L'acide folique, ou folates, ou vitamine B9

La prise d'acide folique, à raison de 0,4 mg par jour, chez la femme souhaitant entamer une grossesse ou durant le premier mois de sa grossesse, aurait la faculté de prévenir certaines malformations du tube neural, affectant le cerveau et la moelle épinière du fœtus (spina-bifida, anencéphalie...).

Aux États-Unis et au Canada, la plupart des fabricants de farines et de pâtes alimentaires ajoutent, sur ordre du gouvernement, de l'acide folique à leurs produits, et ce depuis le 1er janvier 1998, afin de prévenir le risque de malformations du tube neural. En général, le supplément est de l'ordre de 0,15 mg/100 g de céréales.

L'acide folique constitue, d'autre part, une arme pour lutter contre le cancer, notamment le cancer du poumon et du col de l'utérus, et pour ralentir sa progression.

On conseille également d'augmenter leur consommation d'acide folique aux personnes dépressives, insomniaques, irritables. En effet, une carence en acide folique serait susceptible de provoquer des troubles psychologiques plus ou moins aigus.

De récentes études ont mis en évidence le fait que la prise d'acide folique fait baisser le taux sanguin d'homocystéine, un acide aminé qui, lorsqu'il est en excès dans l'organisme, augmente les risques de maladies cardiaques notamment chez les diabétiques et chez les personnes présentant une hypercholestérolémie. Cette prise d'acide folique est d'autant plus efficace qu'elle est jumelée à une supplémentation en vitamines B6 et B12.

Quand le taux d'homocystéine baisse, l'acide folique peut exercer une influence positive sur la faculté à se dilater des vaisseaux sanguins ; les risques de haute pression sanguine et de formation de caillots sanguins sont alors diminués.

L'acide folique aiderait également à lutter contre l'arthrite.

Une dose oscillant entre 200 et 500 µg par jour est à préconiser. Mais attention : l'acide folique, pris en excès, peut avoir des effets toxiques.

Son action

- Prévention du vieillissement.
- Correction de certains troubles cérébraux chez les personnes âgées (difficultés de concentration, perte de mémoire, confusion...).
- Prévention des malformations du tube neural.
- Prévention du cancer, des maladies cardiaques.
- Meilleure tolérance à la chimiothérapie en cas de cancer.
- Lutte contre l'arthrite.
- Prévention de l'anémie (femme enceinte).
- Lutte contre les troubles de l'humeur, la dépression.
- Accroissement de la résistance aux infections.

Où le trouve-t-on ?

Foie de poulet (excellente source d'acide folique) • Céréales (maïs, blé...) • Levure de bière • Germes de blé • Amandes • Châtaignes • Noix • Haricots secs, pois chiches, lentilles • Soja • Graines de tournesol • Œufs • Légumes verts à feuilles (épinards, chou, chou-fleur, chou de Bruxelles, feuilles de betterave, brocoli) • Navet • Avocat • Petits pois • Asperges • Betteraves • Carottes • Oranges • Fraises • Framboises • Bananes • Abricots • Saumon • Thon • Huîtres • Certains produits laitiers : lait, yaourt, camembert, feta, gouda...

Le coenzyme Q10

Cette substance, encore appelée vitamine Q10 ou ubiquinone-10, a été découverte vers le milieu du XXe siècle.

L'organisme produit naturellement son propre coenzyme Q10 à partir des vitamines B et C ; cet élément est impliqué dans l'action de trois enzymes nécessaires à la production de l'énergie dans les mitochondries cellulaires.

Dès l'âge de 20 ans, l'organisme ralentit sa production de coenzyme Q10. C'est pourquoi il faut veiller à consommer des aliments riches en coenzyme Q10 ou, à défaut, prendre cette substance sous forme de supplément alimentaire.

L'intérêt majeur du coenzyme Q10 est d'empêcher l'oxydation du bon cholestérol LDL. Il permet également de protéger les membranes des mitochondries, « booste » le système immunitaire, fait office de rempart contre les infections, et facilite la production et la libération de l'énergie.

Il permet également de régénérer la vitamine E lorsqu'elle a été oxydée.

Son action

- Lutte contre le vieillissement généré par les radicaux libres.
- Favorise la production d'énergie.
- Combat la fatigue.
- Prévient l'angine de poitrine.
- Protège les artères.
- Lutte contre l'insuffisance cardiaque.
- Aide à normaliser le taux de diabète.
- Combat l'hypertension artérielle.
- Améliore la fertilité masculine.
- Prévient et soigne les gingivites…

Où le trouve-t-on ?

Sardines • Maquereaux • Cacahuètes • Pistaches • Noix • Graines de sésame • Soja…

Les sels minéraux et oligo-éléments

Le sélénium

Le sélénium est un métal découvert il y a quarante ans environ. Dans les années 70, les chercheurs lui ont reconnu des propriétés antioxydantes. En 1990, il a été reconnu aux États-Unis par la Food and Drug Administration. Présent dans le sol, il « passe » dans les légumes qui y poussent. Et plus le sol est riche en sélénium, plus les légumes se chargent en sélénium, et mieux c'est pour notre santé !

Le sélénium protégerait contre certains cancers, notamment le cancer de la prostate, du côlon, de l'œsophage, du rectum et du poumon. En revanche, il est déconseillé d'administrer du sélénium aux personnes atteintes d'un cancer pour ne pas favoriser la prolifération des cellules cancéreuses.

Il faut également savoir que le sélénium est un stimulant puissant du système immunitaire ; on constate généralement un faible taux sanguin de sélénium chez les personnes atteintes du sida ou de la sclérose en plaques.

Le sélénium permettrait, entre autres, d'aider les globules blancs à combattre le virus du sida, diminuerait le stress oxydatif, favorisant la reproduction du virus, et retarderait le passage de la séropositivité au stade sida.

Le sélénium est, d'autre part, nécessaire au bon fonctionnement de la glutathion péroxydase, enzyme empêchant l'oxydation des lipides poly-insaturés, constituants essentiels des membranes cellulaires. Il représente ainsi un élément protecteur efficace contre les maladies cardio-vasculaires

À hautes doses, le sélénium peut avoir des effets toxiques ; un apport quotidien compris entre 200 et 500 µg est à recommander.

Le sperme est riche en sélénium. Pour compenser les pertes occasionnées lors de l'éjaculation, il est conseillé aux hommes très actifs sexuellement de se supplémenter en sélénium.

Cet oligo-élément est impliqué dans une importante enzyme antioxydante, préserve l'élasticité des tissus et est nécessaire à la production des prostaglandines.

Son action
- Protection des cellules et des tissus.
- Lutte contre les radicaux libres et le vieillissement prématuré. Le sélénium, indispensable au bon fonctionnement d'une enzyme, la glutathion péroxydase, permet de lutter efficacement contre la formation de radicaux libres.
- Prévention de certains cancers.
- Prévention de la cataracte.
- Stimulation du système immunitaire.
- Prévention des troubles cardio-vasculaires.
- Amélioration de la fertilité.

Où la trouve-t-on ?
Noix du Brésil • Rognons de porc • Rognons d'agneau • Blé soufflé • Thon • Graines de tournesol • Foie de poulet • Orge • Huîtres • Crevettes • Morue • Bœuf • Pain • Côte de porc • Côte d'agneau • Farine • Œufs • Ail • Poulet • Fromage • Lait • Champignons • Carottes.

Le zinc

Absorbé au niveau de l'intestin, emmagasiné dans le foie, puis réparti dans les muscles et les os, le zinc est un oligo-élément indispensable à la fabrication des protéines. Il sert également le système endocrinien, favorise la cicatrisation, combat l'inflammation et stimule la croissance. Il permettrait également de lutter contre la mortalité du nouveau-né : raison de plus pour encourager les femmes enceintes à se supplémenter en zinc.

Le zinc a la propriété d'accroître le taux d'insuline ; sa consommation est donc à conseiller aux personnes diabétiques, qui en éliminent en quantité importante, qu'elles soient insulinodépendantes ou pas.

Les propriétés antioxydantes du zinc ne sont plus à démontrer. Il stimule l'immunité, aurait une action préventive sur l'apparition de certains cancers, notamment des bronches, de l'œsophage, de la prostate, tandis que l'excès de zinc favoriserait la survenue de cancers du côlon et du sein. Comme le sélénium, le zinc favorise le développement des tumeurs cancéreuses : c'est pourquoi il convient de déconseiller sa consommation en grande quantité aux personnes atteintes d'une tumeur maligne.

Un apport de l'ordre de 15 mg par jour est à conseiller aux adultes ; les enfants se contenteront de 10 mg par jour tandis que les femmes enceintes amélioreront leur état général en absorbant 20 mg de zinc par jour. Dose à ne pas dépasser : 100 mg/jour.

Un apport en zinc est également à recommander aux personnes âgées, dont le taux a tendance à diminuer au fil des années.

Son action

- Prévention de l'apparition de certains cancers.
- Indispensable à plusieurs réactions enzymatiques.
- Nécessaire à l'absorption des vitamines.
- Prévention de la mortalité infantile.
- Stimulateur de la sécrétion d'insuline.
- Lutte contre les retards de croissance.
- Guérison des blessures et des brûlures.
- Lutte contre la stérilité.
- Lutte contre l'athérosclérose.
- Accroît la résistance aux infections.
- Améliore la vision nocturne.
- Lutte contre le stress, la fatigue.
- Suppression des taches blanches sur les ongles.
- Lutte contre la perte de l'appétit et du goût.

Où le trouve-t-on ?

Huîtres • Bœuf • Foie de veau • Foie de porc • Germes de blé • Amandes • Jaune d'œuf • Crabe • Dinde •

Graines de citrouille • Graines de courge • Cacahuètes • Haricots blancs • Lentilles • Noix • Produits laitiers • Flocons d'avoine • Crustacés • Pois cassés • Céréales • Féculents • Levure de bière.

Le magnésium

Le magnésium est utilisé depuis le Moyen Âge pour ses vertus thérapeutiques. On lui accorde des propriétés sédatives (il combat efficacement l'anxiété et le stress) et protectrices contre les infections et les maladies. Une carence en magnésium peut provoquer des crises de spasmophilie car son rôle est essentiel au niveau de la contraction musculaire et du bon fonctionnement du cœur.

Une carence en magnésium favorise la formation de radicaux libres et l'apparition d'un stress oxydatif provoquant une dégénérescence des cellules.

Il faut savoir que la consommation régulière et suffisante de magnésium permettrait de lutter contre l'apparition de certains cancers. C'est pourquoi il convient de surveiller ses apports, qui doivent être de l'ordre de 300 à 500 mg par jour chez l'adulte, 250 mg chez l'enfant.

Son action

- Lutte contre le cancer.
- Lutte contre le stress oxydatif.
- Permet la bonne utilisation des glucides, des lipides et des protéines.
- Favorise l'absorption et le métabolisme du calcium, du phosphore, du sodium et du potassium.
- Permet une meilleure utilisation des vitamines du groupe B et des vitamines C et E.
- Favorise le bon fonctionnement des nerfs et des muscles.
- Tonifie le cœur et le système nerveux.
- Lutte contre les crampes et les spasmes musculaires.
- Lutte contre l'ostéoporose.
- Permet de combattre la tendance aux fractures osseuses.

- Prévient la carie dentaire.
- Augmente la résistance aux infections.

Où le trouve-t-on ?
Cacao en poudre • Chocolat noir • Soja • Graines de citrouille et de courge • Amandes • Cacahuètes • Haricots blancs • Noix • Pain complet • Maïs • Riz complet • Lentilles • Algues (varech, dulse) • Oseille • Sésame • Dattes et figues sèches • Épinards • Avocats • Bananes • Pissenlit • Artichaut • Persil • Betteraves • Petits pois • Cresson • Pommes • Haricots verts • Thé • Pommes de terre • Salsifis • Légumes à feuilles vert sombre...

D'autres substances antioxydantes

Le glutathion

Le glutathion est une molécule composée de trois acides aminés : le glutamate, la cystéine et la glycine.

Cette substance est fabriquée par notre corps à partir des aliments qui lui sont nécessaires afin de fabriquer son propre glutathion. Cette synthèse se fait à partir de glycine et de glutamate, mais surtout à partir de la cystéine.

Le glutathion est un antioxydant qui agit très efficacement afin d'éviter l'action de certaines substances cancérigènes. Il agit notamment au niveau de l'appareil digestif pour empêcher certains lipides alimentaires, oxydés par les radicaux libres, de se répandre dans le sang.

Il a également le pouvoir de neutraliser l'action de certaines substances toxiques ayant pénétré au sein de l'organisme.

Il agit aussi comme un véritable « booster » du système immunitaire ; selon certaines études, il inhiberait la reproduction du virus HIV.

La synthèse du glutathion est favorisée par un apport suffisant en vitamine C et en sélénium. Ceci est important à retenir quand on sait qu'entre 40 et 60 ans, on observe une baisse de taux sanguin de glutathion de l'ordre de 20 %.

Son action
- Ralentissement du vieillissement.
- Bon fonctionnement cérébral.
- Stimulation du système immunitaire.
- Lutte contre le cancer (prostate, vessie).
- Lutte contre l'oxydation des graisses, notamment le cholestérol.
- Lutte contre les maladies cardio-vasculaires, l'asthme, la cataracte.
- Protection de l'organisme contre les substances toxiques (polluants, herbicides…) ; le glutathion agit comme détoxicant.
- Neutralisation des radicaux libres.
- Lutte contre le diabète.
- Inhibition de la réplication du virus HIV.
- Lutte contre la prise de poids.
- Lutte contre l'alcoolisme, l'intoxication à la caféine…

Où le trouve-t-on ?
Choux de Bruxelles • Chou pommé • Chou-fleur • Brocoli • Avocat • Melon • Asperges • Pamplemousse • Courge • Pomme de terre • Fraises • Tomates • Oranges • Pêche • Oignon • Courgette • Carottes • Épinards • Jambon • Veau.

Pour potentialiser les effets du glutathion, il est recommandé de consommer, parallèlement, des aliments riches en sélénium et en vitamine C. Cette dernière aide l'organisme à fabriquer son propre glutathion.

Les indoles

Les indoles sont des nutriments contenus dans certains végétaux, notamment ceux issus de la famille des crucifères (choux). Dotés d'un fort pouvoir antioxydant, ils permettent de lutter contre l'apparition de certains cancers, notamment du côlon et du sein, en désactivant certaines substances cancérigènes.

Les indoles ont également la vertu de normaliser le système hormonal, notamment le taux d'estrogènes, empêchant ainsi l'apparition de certains cancers.

Attention : les propriétés des indoles sont altérées à 50 % par l'ébullition. Pour une meilleure sauvegarde de ces substances, il convient de choisir, pour les aliments qui en sont riches, un mode de cuisson mieux approprié : vapeur, étouffée, à la poêle… ou de les consommer crus.

Leur action

- Lutte contre le vieillissement prématuré.
- Lutte contre le cancer (côlon, sein, prostate).
- Équilibre hormonal.

Où le trouve-t-on ?

Brocolis • Moutarde • Chou • Chou de Bruxelles • Chou-fleur • Chou frisé • Navet • Radis noir et rose • Rutabaga • Cresson…

La quercétine

Substance de la famille des flavonoïdes, la quercétine est présente dans de nombreux fruits et légumes. Elle empêche la dégradation de l'ADN, enraye la croissance des tumeurs cancéreuses, combat les allergies, exerce une action anti-inflammatoire, antibactérienne, antivirale et antifongique. Elle permet également d'empêcher la formation de caillots venant obstruer les vaisseaux et pouvant provoquer des accidents cardio-vasculaires et vasculaires cérébraux.

Elle agit en empêchant l'oxydation des graisses et en bloquant l'action des radicaux libres.

Son action

- Puissante action antioxydante.
- Prévention des cancers.

- Prévention de la thrombose.
- Action anti-inflammatoire, antibactérienne, antivirale et antifongique.

Où la trouve-t-on ?
Oignon jaune • Oignon rouge • Échalote • Brocolis • Courgettes • Raisin noir.

Quelques aliments trésors

L'ail

Originaire d'Asie, l'ail contient de nombreux composés soufrés tels que l'alliine, substance inodore se transformant en allicine, à l'odeur caractéristique, quand on écrase la gousse. L'allicine permet alors la synthèse d'autres composés, les sulfures d'allyle, qui détiendraient des propriétés anticancéreuses. Il réduirait ainsi le risque de cancers de l'appareil digestif. Il détient également des vertus tonifiantes, reminéralisantes, antibactériennes, antiseptiques, hypocholestérolémiantes et un effet antihypertenseur.

Riche en protéines (7 g aux 100 g), en fibres, en calcium, en fer, en soufre, il contient également du magnésium, du potassium, du sélénium, du zinc ainsi que les vitamines B1, B6 et C.

Le thé

Qu'il soit noir ou vert, le thé est issu d'un seul et même arbuste, le théier ou *Camellia sinensis*. Le premier a subi une fermentation, tandis que le deuxième est obtenu et consommé après un séchage rapide de ses feuilles.

Le thé vert contient en grande quantité des polyphénols, substances antioxydantes ayant la propriété de protéger contre l'apparition de certains cancers (gros intestin, côlon, estomac, œsophage, pancréas, poumons, peau...).

Ces substances agiraient en empêchant la production d'éléments cancérigènes au sein du corps humain ; elles permettraient également de faire régresser certaines tumeurs cancéreuses déjà constituées.

La consommation régulière de thé permet de réduire de 60 % les risques de maladies cardio-vasculaires et d'infarctus. Elle permet de prévenir en partie l'oxydation du cholestérol et d'empêcher le cholestérol oxydé de se déposer dans la paroi des artères.

Pour obtenir ce résultat, il suffit de boire quotidiennement quatre ou cinq tasses de thé vert (ou thé vierge) ou noir, bien que le premier ait la réputation de détenir des pouvoirs antioxydants supérieurs à ceux du thé noir.

Le thé est également l'ami de la minceur : très diurétique, il permet également de favoriser l'évacuation des graisses hors des adipocytes (cellules graisseuses), par stimulation enzymatique.

Les polyphénols contenus dans le thé ont également la propriété d'inhiber l'assimilation d'une partie des glucides et des lipides.

Le thé contenant du fluor, sa consommation est conseillée pour prévenir l'apparition de caries dentaires.

Le soja

La consommation de soja permet de lutter contre certains cancers ; il contient de nombreuses substances capables de combattre à la fois le cancer et le vieillissement : génistéine, daidzéine, phytostérols, saponines, lécithine, acides phénoliques, phytates..., inhibiteurs de protéase, dont l'élément star, l'inhibiteur de Bowman-Birk, aurait mérité, à juste titre, la mention d'élément anticancéreux absolu.

La génistéine, appartenant au groupe des isoflavonoïdes, permettrait de lutter contre l'apparition et le développement de nombreuses catégories de cancer, en inhibant l'action d'une substance stimulant l'évolution des cancers d'une part, et en empêchant la formation des vaisseaux sanguins nécessaires au développement de la tumeur cancéreuse d'autre part.

Cette substance a également la propriété de freiner le développement des cancers d'origine hormonale (sein, prostate) en exerçant une influence spécifique sur certaines hormones.

Mais certains scientifiques de l'Université de l'Alabama (États-Unis) sont allés plus loin en se livrant à des expériences mettant en évidence le fait que les animaux ayant absorbé, dans leur prime jeunesse, à la fois de la génistéine en faible quantité et des substances susceptibles de favoriser l'apparition de cancers, développaient moins de tumeurs malignes à l'âge adulte (60 % des sujets) que les animaux ayant absorbé uniquement la substance cancérigène (100 % des sujets).

On peut donc constater que les nombreuses recherches menées sur le soja tendent à démontrer l'indéniable effet protecteur du soja pour lutter contre l'apparition et le développement des tumeurs cancéreuses. Des recherches scientifiques rigoureuses sont en cours afin de mieux connaître les raisons de ce phénomène.

Il paraît d'ores et déjà raisonnable d'augmenter dès maintenant sa ration quotidienne de soja sous toutes ses formes : haricot de soja, tofu, tonyu, miso... afin d'augmenter ses chances de lutter contre l'apparition de cette maladie qui fait des ravages : le cancer.

ENTRÉES

Tarte aux poireaux

Ingrédients pour 6 personnes
1 rouleau de pâte feuilletée toute préparée, bio de préférence
1 kg de poireaux frais ou surgelés, coupés en rondelles
4 yaourts nature
(on peut remplacer 2 de ces yaourts par 250 g de tofu nature)
4 œufs
1 oignon
1 pincée de noix de muscade moulue
1 cuillerée à café de graines de sésame (facultatif)
Sel, poivre

Préparation
Allumez le four (200° C).

Déroulez la pâte dans un moule à tarte. Piquez-la à l'aide d'une fourchette, placez-y des haricots secs. Mettez-la au four après 10 minutes de préchauffage.

Faites cuire les poireaux en rondelles dans une grande quantité d'eau salée (s'ils sont surgelés) ou à l'autocuiseur (s'ils sont frais).

Dans une jatte, battez les yaourts nature avec les œufs. Salez, poivrez, ajoutez la noix de muscade râpée.

Quand les poireaux sont cuits, égouttez-les bien, placez-les harmonieusement sur la pâte précuite. Versez la préparation à base de yaourt.

Pelez l'oignon, coupez-le en rondelles. Disposez les rondelles sur la tarte. Saupoudrez de graines de sésame et faites cuire 20 à 30 minutes.

Tarte aux tomates et aux olives

Ingrédients pour 6 personnes

1 rouleau de pâte brisée toute préparée, bio de préférence
1,5 kg de tomates
12 olives noires
1 pincée de thym
1 pincée de basilic
1 cuillerée à soupe d'huile d'olive
Sel, poivre

Préparation

Allumez le four (200° C).

Déroulez la pâte dans un moule à tarte. Piquez-la à l'aide d'une fourchette, placez-y des haricots secs. Mettez-la au four après 10 minutes de préchauffage.

Réservez 2 tomates. Ébouillantez les autres tomates dans une grande quantité d'eau bouillante. Pelez-les et découpez-les en dés.

Dans un faitout, faites revenir les tomates. Ajoutez le thym, le basilic, salez, poivrez. Écrasez bien la préparation pour obtenir une purée.

Versez la préparation à base de tomates sur la pâte préchauffée. Disposez les olives noires. Garnissez avec des rondelles de tomates. Arrosez d'un filet d'huile d'olive.

Faites cuire au four 15 minutes.

Servez chaud, accompagné d'une salade verte à l'ail.

Tarte aux échalotes et au comté

Ingrédients pour 6 personnes
1 rouleau de pâte brisée toute préparée, bio de préférence
4 œufs
6 dl de lait de soja ou de vache demi-écrémé
200 g de comté
1 noix de margarine à l'huile d'olive ou de tournesol
Sel, poivre

Préparation
Allumez le four (200° C).

Déroulez la pâte dans un moule à tarte. Piquez-la à l'aide d'une fourchette, placez-y des haricots secs. Mettez-la au four après 10 minutes de préchauffage.

Pelez et hachez les échalotes. Faites-les revenir dans une poêle, dans la margarine.

Dans une jatte, battez les œufs et le lait. Ajoutez le comté râpé, puis les échalotes cuites. Salez, poivrez.

Versez la préparation sur la pâte précuite, et faites cuire 20 minutes.

Servez accompagné de crudités.

Tarte sucrée aux oignons et aux champignons

Ingrédients pour 6 personnes
1 rouleau de pâte brisée toute préparée, bio de préférence
6 oignons
250 g de champignons de Paris
1 cuillerée à soupe de cassonade (sucre roux)
1 cuillerée à soupe de ciboulette
1 cuillerée à soupe d'huile d'olive
Sel, poivre

Préparation
Allumez le four (200° C).

Déroulez la pâte dans un moule à tarte. Piquez-la à l'aide d'une fourchette, placez-y des haricots secs. Mettez-la à dorer au four après 10 minutes de préchauffage.

Pelez les oignons (réservez-en 2). Épluchez les champignons. Découpez ces légumes en cubes, faites-les revenir dans une cocotte, à l'huile d'olive. Quand les oignons sont bien dorés, ajoutez la cassonade, puis la ciboulette. Remuez bien, laissez cuire 5 minutes.

Garnissez la pâte précuite de cette préparation.

Servez bien chaud.

Tarte au fromage et au tofu

Ingrédients pour 6 personnes

1 rouleau de pâte brisée toute préparée, bio de préférence
200 g de tofu
200 g de fromage de caractère (ossau-iraty, comté…)
3 oignons
2 œufs
4 dl de lait de soja
Sel, poivre

Préparation

Allumez le four (200° C).

Déroulez la pâte dans un moule à tarte. Piquez-la à l'aide d'une fourchette, placez-y des haricots secs. Mettez-la à dorer au four après 10 minutes de préchauffage.

Pelez les oignons. Faites-les revenir dans une poêle, à l'huile d'olive.

Dans une jatte, battez les œufs avec le lait. Salez, poivrez.

Disposez le tofu coupé en dés et les oignons cuits sur la pâte précuite. Recouvrez de la préparation œufs/lait. Faites cuire à four chaud 30 minutes.

Tarte à l'ail rose

Ingrédients pour 6 personnes

1 rouleau de pâte brisée toute préparée, bio de préférence
5 cuillerées à soupe d'huile d'olive vierge extra
7 gousses d'ail rose
50 g de feta
20 cl de lait de soja
4 œufs
Sel, poivre

Préparation

Allumez le four (200° C).

Déroulez la pâte dans un moule à tarte. Piquez-la à l'aide d'une fourchette, placez-y des haricots secs. Mettez-la à dorer au four après 10 minutes de préchauffage.

Passez au mixeur l'huile d'olive, l'ail et la feta pour obtenir un mélange onctueux.

Battez les œufs et le lait de soja. Salez, poivrez.

Étalez la garniture à base d'ail sur la pâte, le plus régulièrement possible, et recouvrez du mélange œufs/lait de soja.

Faites cuire au four pendant 40 minutes. Servez chaud.

Tarte aux courgettes

Ingrédients pour 6 personnes
1 rouleau de pâte brisée toute préparée, bio de préférence
500 g de courgettes
3 œufs
2 yaourts nature
20 cl de lait de soja (ou de vache)
1 pincée de piment de Cayenne
Sel, poivre

Préparation
Allumez le four (200° C).

Déroulez la pâte dans un moule à tarte. Piquez-la à l'aide d'une fourchette, placez-y des haricots secs. Mettez-la au four après 10 minutes de préchauffage.

Épluchez les courgettes. Découpez-les en rondelles. Faites-les revenir à la poêle, dans l'huile d'olive. Salez, poivrez, ajoutez le piment de Cayenne, et laissez cuire à feu doux en remuant constamment pendant 10 minutes environ.

Battez dans une jatte les yaourts, les œufs et le lait. Salez, poivrez, ajoutez les courgettes, mélangez délicatement.

Sortez le moule du four. Versez sur la pâte la préparation. Faites cuire à four chaud pendant 30 minutes.

Tourte aux champignons et au paprika

Ingrédients pour 6 personnes

2 rouleaux de pâte brisée toute préparée, bio de préférence
750 g de champignons de Paris
6 œufs + 1 jaune pour dorer
2 gousses d'ail
1/2 cuillerée à café de paprika
Sel, poivre

Préparation

Allumez le four (200° C).

Faites revenir les champignons lavés et détaillés en lamelles dans une poêle, à l'huile d'olive, avec l'ail haché. Garnissez un moule à tarte avec l'un des rouleaux de pâte brisée. Recouvrez avec les champignons cuits. Dans une jatte, battez les œufs, salez, poivrez, ajoutez le paprika en poudre.

Placez sur le tout l'autre rouleau de pâte (ôtez le papier sulfurisé le cas échéant). Collez ensemble les deux parties en pinçant le bord avec vos doigts mouillés. Dessinez sur la surface des motifs à l'aide d'un couteau pointu. Creusez le centre de la tourte d'une cheminée que vous entourerez de pâte pour décorer. Dans une tasse, mélangez le jaune d'œuf à 2 cuillerées à soupe de lait de vache. Badigeonnez la tourte de cette préparation à l'aide d'un pinceau.

Faites cuire 35 minutes environ à four chaud.

Mousse de céleri au gingembre

Ingrédients pour 4 personnes
400 g de céleri-rave
1 belle tomate
1 oignon
1 gousse d'ail
1 feuille de gélatine nature
1 pincée de coriandre
1 cuillerée à café de racine de gingembre râpée
100 g de fromage blanc
2 blancs d'œufs
Sel, poivre

Préparation

Lavez et épluchez le céleri ; faites-le cuire à la vapeur ou dans l'eau bouillante salée.

Pendant ce temps, plongez la gélatine dans un petit bol d'eau froide.

Parallèlement, faites revenir l'oignon pelé et émincé, l'ail haché, la tomate pelée, épépinée et détaillée en dés, dans une poêle antiadhésive.

Ajoutez la coriandre, le gingembre râpé, salez et poivrez.

Incorporez les carottes et laissez cuire encore 3 minutes en veillant à ce que la préparation ne noircisse pas.

Passez la préparation au mixeur afin d'obtenir une purée fluide.

Ajoutez le fromage blanc, la gélatine, remuez.

Incorporez enfin les 2 blancs d'œufs battus en neige très ferme.

Versez la préparation dans des ramequins que vous placerez 2 heures minimum au réfrigérateur.

Pain de légumes

Ingrédients pour 8 personnes

125 g de farine de blé complète
2 courgettes
2 carottes
250 g de champignons de Paris
2 oignons
3 gousses d'ail
5 œufs
5 dl de lait de soja ou de lait demi-écrémé
1 pincée de levure de bière
200 g d'escalope de dinde
1 bouquet de persil
1 pincée de thym
Sel, poivre

Préparation

Préchauffez le four (200° C).

Versez la farine en fontaine dans un saladier. Ajoutez le lait, mélangez progressivement, incorporez les œufs battus, la levure de bière.

Faites cuire les escalopes de dinde, hachez-les grossièrement avec le persil, le thym, les carottes, les oignons et l'ail, salez, poivrez.

Dans une poêle, faites revenir dans l'huile d'olive les courgettes coupées en dés et les champignons émincés. Ajoutez le tout à la préparation, mélangez bien pour obtenir une pâte homogène. Rectifiez l'assaisonnement.

Versez le tout dans un moule à cake antiadhésif, et faites cuire au four 1 heure.

Servez chaud ou froid, accompagné d'une sauce tomate à l'origan.

Croquettes d'aubergines

Ingrédients pour 4 personnes
700 g d'aubergines
70 g de comté râpé
2 œufs
Chapelure
2 cuillerée à soupe de menthe hachée
Huile d'olive
Sel, poivre

Préparation
Lavez les aubergines. Placez-les sur la plaque du four, sur un lit de gros sel. Enfournez 30 minutes à mi-hauteur à 200° C, la peau doit rester intacte. Ôtez du four et laissez refroidir.

Ouvrez-les en deux dans le sens de la longueur, retournez dans une passoire et laissez égoutter 30 minutes.

Pelez-les et passez-les au mixeur.

Ajoutez le comté râpé, les œufs, la menthe et assez de chapelure pour épaissir l'ensemble. Salez, poivrez.

Formez des boulettes de cette préparation, que vous ferez dorer dans une poêle, à l'huile d'olive. Après 4 minutes de cuisson, écrasez les boulettes pour obtenir des croquettes. Laissez cuire encore 2 à 3 minutes, puis retournez chaque croquette.

Égouttez sur du papier absorbant, et servez avec une salade verte.

Beignets d'oignons

Ingrédients pour 30 beignets

6 oignons
6 gousses d'ail
1,5 tasse de farine de pois chiches
(vous pouvez à défaut utiliser de la farine de blé)
2 œufs
2,5 cuillerées à café de bicarbonate de soude
2 cuillerées à café de paprika
Huile d'olive vierge extra

Préparation

Pelez les oignons et émincez-les. Hachez finement les gousses d'ail.

Dans une jatte, placez la farine, ajoutez les 2 œufs, le bicarbonate de soude et le paprika. Mélangez bien pour obtenir une préparation homogène.

Ajoutez les oignons émincés et les gousses d'ail hachées. Mélangez bien et formez des boulettes que vous aplatirez de la paume de la main.

Versez 8 cuillerées à soupe d'huile d'olive vierge extra dans une grande poêle. Faites-y frire les beignets des deux côtés ; quand ils sont bien dorés, disposez sur du papier absorbant.

Servez bien chaud avec une sauce pimentée.

Salade de courgettes

Ingrédients pour 6 personnes
3 courgettes
2 petits poivrons rouges
1 oignon
1 gousse d'ail
3 tomates bien mûres
1 cuillerée à café de concentré de tomate
1 branche de thym
Quelques feuilles de laurier
Quelques feuilles de basilic
1 pincée de cassonade
Sel, poivre

Préparation

Pelez et épépinez les poivrons. Pelez les courgettes. Coupez-les en petits dés.

Pelez l'ail et l'oignon. Hachez-les.

Épluchez les tomates, puis coupez-les en cubes. Concassez-les grossièrement.

Faites cuire 20 minutes à feu doux avec le basilic, le laurier, le thym, la cassonade, le concentré de tomate.

Salez, poivrez, mixez et filtrez au chinois.

Dans une poêle, faites cuire pendant 5 minutes les oignons et les poivrons. Ajoutez les courgettes et l'ail. Laissez refroidir et servez frais, nappé du coulis de tomate.

Salade d'épinards aux raisins secs

Ingrédients pour 8 personnes
200 g d'épinards frais
4 jeunes navets
4 courgettes
1 poignée de raisins secs
1 citron
Sel, poivre

Préparation
Faites tremper les raisins secs dans un peu d'eau chaude. Frottez les courgettes et les navets sous le robinet avec une brosse à légumes. Râpez les navets et coupez les courgettes en rondelles, puis en petits quartiers.

Pliez chaque feuille d'épinard en deux le long de la nervure centrale, détachez la tige sur toute sa longueur.

Lavez les feuilles à grande eau et hachez-les grossièrement. Mélangez les trois légumes dans un saladier.

Salez et arrosez de jus de citron. Ajoutez les raisins secs et servez.

Salade de fenouil aux oranges

Ingrédients pour 4 personnes
4 petits bulbes de fenouil
1 laitue
2 oranges
1 citron
60 g de fromage blanc maigre
Sel, poivre du moulin

Préparation

Portez à ébullition dans un faitout une grande quantité d'eau salée.

Parez les bulbes de fenouil en ôtant les parties indigestes ; lavez-les et ébouillantez-les dans le faitout. Égouttez-les et hachez-les grossièrement. Réservez dans un saladier.

Lavez et épluchez la laitue, découpez-la en petites feuilles, mélangez-la intimement avec le fenouil haché.

Lavez 1 orange, détaillez-la en quartiers et ajoutez-la à la préparation

Dans un bol, préparez une sauce avec le jus de l'autre orange et du citron lavés et le fromage blanc, salez, poivrez le mélange.

Versez cette sauce sur la préparation, mélangez délicatement, et servez immédiatement.

Salade de macaronis au gingembre

Ingrédients pour 4 personnes
300 g de macaronis
1 courgette
1 oignon
1 gousse d'ail
1 cuillerée à café de racine de gingembre râpée
Sel, poivre

Préparation
Versez une grande quantité d'eau salée dans un faitout et portez-la à ébullition.

Pendant ce temps, lavez, pelez et hachez l'ail et l'oignon. Lavez la courgette soigneusement, détaillez-la en très petits cubes.

Lorsque l'eau bout, jetez-y les macaronis et laissez-les cuire en remuant de temps en temps.

Pendant ce temps, faites revenir dans une poêle antiadhésive la courgette, l'ail et l'oignon, ajoutez la racine de gingembre râpée, salez, poivrez. Vous pouvez ajouter un peu d'eau ou de bouillon de légumes si les légumes commencent à attacher.

Lorsque les pâtes sont cuites, égouttez-les, versez-les dans un plat creux, et ajoutez les légumes cuits.

Mélangez intimement, servez aussitôt.

Tomates farcies aux aubergines

Ingrédients pour 4 personnes
4 belles tomates
400 g d'aubergines
2 gousses d'ail
1 branche de basilic
1 branche de persil
1 petit pot de fromage blanc maigre
2 blancs d'œufs
1 citron
Sel, poivre du moulin

Préparation

Faites cuire les aubergines au four position gril sur une feuille de papier sulfurisé, en les retournant de temps en temps afin qu'elles ne noircissent pas.

Pendant ce temps, lavez les tomates, ôtez leur pédoncule et découpez un « couvercle » au sommet.

Évidez-les soigneusement en laissant environ 1 cm de pulpe sur les côtés.

Quand les aubergines sont cuites (environ 25 minutes), pelez-les et réduisez-les en purée. Versez cette purée dans un saladier avec l'ail et le persil haché, le jus du citron pressé, salez, poivrez.

Battez les deux blancs d'œufs en neige, mélangez-les intimement au fromage blanc, et incorporez le tout à la purée d'aubergines.

Garnissez les tomates de cette préparation, replacez le « couvercle » et disposez dans le plat de service ou sur les assiettes, et décorez de feuilles de basilic frais.

Gratin de courgettes à l'ossau-iraty

Ingrédients pour 6 personnes

1 kg de courgettes
1 kg de tomates
150 g d'ossau-iraty
1 gousse d'ail
1 cuillerée à soupe de basilic
Sel, poivre

Préparation

Préchauffez le four à 180° C.
Lavez et pelez les courgettes, découpez-les en rondelles.
Lavez les tomates, découpez-les en tranches.
Pelez l'ail, écrasez-le.
Découpez l'ossau-iraty en tranches fines.

Tapissez le fond d'un plat à gratin antiadhésif de rondelles de courgettes. Salez, poivrez, saupoudrez d'ail, de basilic, de sel et de poivre. Renouvelez l'opération avec les tomates et l'ossau-iraty jusqu'à épuisement des ingrédients. Faites cuire au four pendant 1 h 15 environ. À mi-cuisson, recouvrez le gratin d'une fine couche d'ossau-iraty râpé.

Flan aux asperges

Ingrédients pour 6 personnes

1 gros bocal d'asperges
1 sachet de soupe déshydratée aux asperges
100 g de fromage maigre
3 œufs
Poivre

Préparation

Égouttez les asperges en boîte, gardez le jus. Délayez le contenu du sachet de soupe déshydratée dans le jus d'asperges.

Mettez les asperges coupées en tronçons, la préparation précédente et les œufs entiers dans le bol du mixeur.

Mixez la préparation jusqu'à ce que le mélange soit bien homogène. Ajoutez le fromage blanc, mixez encore.

Versez dans un moule à cake antiadhésif.

Faites cuire au four à 180° C, au bain-marie. Laissez refroidir avant de démouler. Servez avec une sauce au fromage blanc et à la ciboulette.

Rouleaux de printemps

Ingrédients pour 4 rouleaux
4 feuilles de riz (en vente dans les magasins spécialisés et dans certaines grandes surfaces)
4 feuilles de laitue
100 g de germes de soja
60 g de nouilles chinoises (au riz ou au soja) : en vente dans les magasins spécialisés et dans certaines grandes surfaces
1 belle carotte
Coriandre fraîche
Sel, poivre

Pour la sauce :
1/4 de tasse de sauce de soja
1 jus de citron
2 cm de gingembre râpé
1 pointe de piment de Cayenne

Préparation

Déposez chaque feuille de riz entre deux linges humides afin de les ramollir. Faites cuire les nouilles dans de l'eau salée.

Rincez les germes de soja, de préférence bien frais et bien croquants. Épluchez puis râpez la carotte.

Hachez finement la coriandre.

Sur chaque feuille de riz, étalez une feuille de salade, des nouilles, les germes de soja et la carotte. Salez légèrement et parsemez de coriandre.

Formez des rouleaux et repliez les coins. Humectez légèrement la feuille avec vos doigts trempés dans l'eau chaude pour la faire adhérer.

Faites chauffer à four très doux environ 10 minutes.

Servez avec une sauce chinoise assez épicée : mélangez 1/4 de tasse de sauce de soja avec le jus d'un citron, 2 cm de gingembre frais râpé et une pointe de piment de Cayenne.

Terrine de saumon

Ingrédients pour 8 personnes
800 g de filets de saumon
6 œufs
1 gros bouquet de persil
200 g de fromage blanc maigre
1 petite boîte de concentré de tomate
Sel, poivre

Préparation

Préchauffez le four à 180° C.

Faites cuire les filets de saumon à la vapeur pendant 15 minutes.

Pendant ce temps, ouvrez la boîte de concentré de tomate, versez-en le contenu dans une jatte, ajoutez les 6 œufs entiers, salez, poivrez.

Battez l'ensemble afin d'obtenir une préparation homogène. Lavez le persil, épongez-le, hachez-le finement et ajoutez-le au mélange.

Adjoignez le fromage blanc maigre, mélangez à nouveau.

Écrasez grossièrement le saumon à la fourchette. Faites cuire au bain-marie pendant 50 minutes environ.

Laissez refroidir 1 heure à température ambiante ; mettez au réfrigérateur au moins 4 heures avant de servir.

Servez accompagné d'une mayonnaise maison à l'huile de tournesol ou d'olive, décoré de rondelles de citron.

Velouté de potiron aux amandes

Ingrédients pour 6 personnes

1 potiron
75 cl de lait de soja
2 carottes
40 g d'amandes effilées
1 cuillerée à café de cassonade
100 g de fromage blanc maigre
Sel, poivre

Préparation

Découpez la chair du potiron en gros dés que vous ferez cuire dans une grande quantité d'eau bouillante salée pendant 15 minutes environ.

Égouttez les morceaux de potiron, puis remettez-les dans la casserole débarrassée de son eau avec le lait de soja, le fromage blanc, la cassonade. Salez, poivrez, et laissez cuire 10 minutes environ.

Versez le tout dans le bol du mixeur et mixez pour obtenir une préparation fluide.

Transvasez à nouveau dans la casserole ; ajoutez les carottes lavées, épluchées et coupées en fins bâtonnets, faites cuire encore 15 minutes, adjoignez les amandes effilées, et servez bien chaud.

Potage aux tomates et aux échalotes

Ingrédients pour 6 personnes

1 kg de tomates
4 échalotes
1 petite boîte de concentré de tomate
2 blancs de poireaux
3 carottes
1 bouquet de persil
1 branche de thym
2 gousses d'ail
1 grand verre de lait de soja

Préparation

Préparez les légumes : pelez les tomates et les échalotes, détaillez-les en cubes. Coupez les blancs de poireaux en rondelles, tronçonnez les carottes. Faites cuire le tout dans une grande quantité d'eau bouillante salée pendant 1 heure à 1 heure 30. Quand les légumes sont cuits, ajoutez le persil, le thym haché, le lait de soja et le concentré de tomate. Salez, poivrez, faites cuire encore 10 minutes.

Passez la soupe au mixeur et servez bien chaud.

Potage au chou-fleur

Ingrédients pour 6 personnes
1 kg de chou-fleur frais ou surgelé
3 cuillerées à soupe de flocons de soja toastés
75 cl de lait de soja
1,5 l de bouillon de légumes
1 cuillerée à café de curry
Sel, poivre

Préparation
Lavez et détaillez en bouquets le chou-fleur. Faites-le cuire à la vapeur ou dans une grande quantité d'eau bouillante salée.

Quand le chou-fleur est cuit, réduisez-le en purée et versez cette préparation dans une grande casserole. Ajoutez le litre d'eau ou de bouillon et le curry.

Hors du feu, ajoutez les flocons de soja, le lait de soja, salez, poivrez, et faites cuire encore 5 minutes à feu doux en remuant.

Velouté de lentilles à la coriandre

Ingrédients pour 4 personnes
200 g de lentilles blondes
2 oignons
4 carottes
1 branche de céleri
1 l de bouillon de légumes
1 branche de thym
2 feuilles de laurier
1 cuillerée à café de graines de coriandre moulues
1 cuillerée à soupe d'huile d'olive vierge extra
Sel, poivre

Préparation
Rincez soigneusement les lentilles. Lavez et épluchez les carottes. Coupez-les tronçons. Lavez la branche de céleri et hachez-la.

Pelez et hachez les oignons, faites-les revenir dans une grande casserole, à l'huile d'olive.

Quand ils sont devenus transparents, ajoutez le céleri, les carottes, la branche de thym, les deux feuilles de laurier, salez, poivrez, remuez et laissez cuire 5 minutes en mouillant éventuellement avec un peu de bouillon.

Versez ce qui reste du bouillon en une seule fois, salez, poivrez, remuez. Ajoutez les lentilles, les graines de coriandre moulues, faites cuire 30 minutes.

Ôtez le thym et le laurier et passez la préparation au mixeur de manière à obtenir une préparation fluide. Filtrez. Faites réchauffer si nécessaire. Servez.

Velouté de champignons

Ingrédients pour 6 personnes

1 kg de champignons de Paris frais ou surgelés
1 grand verre de lait de soja
1 cuillerée à soupe de farine de blé complète
1,5 l de bouillon de légumes
1 gousse d'ail
1 petit bouquet de persil ciselé
Sel, poivre

Préparation

Lavez et épluchez les champignons. Essuyez-les dans un torchon propre et sec. Détaillez-les en fines lamelles.

Faites-les revenir dans une grande casserole, à l'huile d'olive, avec l'ail écrasé, en veillant à ce qu'ils ne noircissent pas.

Ajoutez la cuillerée à soupe de farine, remuez, versez le bouillon de légumes en une seule fois.

Salez, poivrez, et faites mijoter 30 minutes en remuant de temps en temps.

Quand les légumes sont cuits, passez la préparation au mixeur, ajoutez le lait de soja chaud, mixez encore afin d'obtenir une préparation lisse et onctueuse, et filtrez. Saupoudrez de persil haché et servez bien chaud.

Velouté aux courgettes

Ingrédients pour 6 personnes

1 kg de courgettes issues de l'agriculture biologique
5 gousses d'ail
1 branche de thym
Quelques feuilles de laurier
10 cl de lait de soja
Quelques brins de ciboulette
Sel et poivre

Préparation

Lavez soigneusement les courgettes et détaillez-les en cubes. Pelez et écrasez l'ail. Faites revenir le tout dans un faitout, à l'huile d'olive. Ajoutez le thym et le laurier. Salez, poivrez, et laissez cuire 10 minutes.

Recouvrez d'eau, et faites cuire encore 40 minutes environ. Ôtez les branches de thym et de laurier, passez au mixeur et versez dans une casserole.

Ajoutez le lait de soja, faites chauffer 5 à 10 minutes, versez dans une soupière, décorez de ciboulette ciselée, et servez bien chaud.

Soupe à l'ail

Ingrédients pour 8 personnes
2 l d'eau
10 gousses d'ail
1 cuillerée à café de moutarde
1 œuf
1 cuillerée à soupe d'huile d'olive vierge extra
150 g de vermicelle
Sel, poivre

Préparation
Versez les 2 litres d'eau dans une grande cocotte et portez à ébullition. Jetez-y l'ail pilé et le blanc d'œuf. Salez, poivrez et mélangez le tout. Laissez cuire 3 minutes. Ajouter le vermicelle et laissez cuire encore 3 minutes.

Préparez une mayonnaise avec le jaune d'œuf, le sel, le poivre, la moutarde et l'huile d'olive vierge extra. Délayez-la avec une louche de bouillon tiède, et incorporez délicatement à la soupe. Servez.

Chorba Batata (recette algérienne de la soupe de pommes de terre)

Ingrédients pour 6 personnes
2 l d'eau
1 kg de pommes de terre
1 oignon
1 cuillerée à soupe d'huile d'olive
1 poignée de vermicelle fin
1/2 botte de persil
1 citron
Sel, poivre

Préparation
Lavez, épluchez et coupez les pommes de terre en rondelles. Recouvrez-les de l'oignon râpé. Salez, poivrez abondamment. Faites cuire dans 2 litres d'eau pendant 20 minutes, passez à la moulinette, remettez sur le feu, portez à ébullition. Ajoutez le vermicelle, laissez cuire 15 minutes. Hachez finement le persil, mélangez-le dans un bol avec le citron pressé, parsemez la surface du velouté de cette préparation, et servez avec un jus de citron.

Salade de concombres au thon frais

Ingrédients pour 4 personnes
200 g de fromage blanc en faisselle
1 petit concombre
1 petit filet de thon frais
2 œufs entiers
2 petites échalotes
1 cuillerée à soupe d'huile d'olive
1 citron
1 bouquet d'aneth
Quelques brins de ciboulette
Sel, poivre

Pour la sauce :
4 cuillerées à soupe d'huile d'olive, 1 citron

Préparation

Faites durcir les œufs. Pendant ce temps, lavez et pelez le concombre. Coupez-le en deux et détaillez-le en bâtonnets. Épluchez et hachez finement les échalotes. Faites cuire le steack de thon. Détaillez-le en cubes.

Disposez dans un plat, salez, poivrez, arrosez d'huile d'olive et de jus de citron. Lavez et ciselez l'aneth et la ciboulette. Fouettez le jus de citron avec 4 cuillerées à soupe d'huile d'olive. Assaisonnez et ajoutez l'aneth et la ciboulette hachée.

Versez le fromage blanc dans un petit bol que vous placerez au centre d'un plat ; entourez de bâtonnets de concombre. Râpez les œufs durs au-dessus du plat, parsemez d'échalotes hachées et de dés de thon. Servez la sauce à part.

Viandes

Gratin provençal

Ingrédients pour 4 personnes
400 g d'aubergines
4 grosses tomates
500 g de viande de bœuf hachée
1 bouquet de persil
2 cuillerées à café de basilic
Thym, laurier
1 cuillerée à soupe d'huile d'olive vierge extra
Sel, poivre

Préparation
Lavez et coupez les tomates et les aubergines en rondelles ; disposez les rondelles d'aubergines dans un plat à gratin antiadhésif ou huilé et fariné, salez, poivrez. Recouvrez de viande hachée émiettée et de rondelles de tomates. Arrosez d'un filet d'huile d'olive. Saupoudrez de persil, basilic et thym. Disposez quelques feuilles de laurier.

Faites cuire à 200° C pendant 20 à 30 minutes.

Servez accompagné de riz complet ou de blé cuit.

Croquettes d'agneau

Ingrédients pour 6 personnes
1 kg de viande d'agneau bien maigre hachée
75 g de chapelure
20 cl de lait de soja
1 oignon
4 gousses d'ail
3 cuillerées à café de cumin moulu
3 cuillerées à soupe de persil frais haché + quelques brins pour décorer
1 cuillerée à soupe de farine de blé complète
6 cuillerées à soupe d'huile d'olive vierge extra
Sel et poivre

Pour la sauce tomate :
2 grandes boîtes de concentré de tomate
1 cuillerée à café de cassonade
2 feuilles de laurier
1 oignon

Préparation
Préparez la sauce tomate.

Diluez le concentré de tomate. Pelez l'oignon, émincez-le. Faites-le revenir dans une poêle, à l'huile d'olive, avec le laurier et le sucre. Après 5 minutes, versez le concentré de tomate. Laissez cuire 20 minutes sur feu doux.

Dans une jatte, mélangez la chapelure et le lait de soja. Ajoutez la viande d'agneau hachée, l'oignon pelé et haché grossièrement, l'ail écrasé, le cumin, le persil, salez, poivrez.

Formez des boulettes que vous écraserez du plat de la main pour obtenir de petites croquettes d'environ 5 cm de long. Faites frire les croquettes dans une poêle, à l'huile d'olive, jusqu'à ce qu'elles soient dorées. Égouttez-les sur du papier absorbant.

Servez avec la sauce tomate à part, décorée de persil.

Curry d'agneau

Ingrédients pour 6 personnes
1,2 kg de viande d'agneau dégraissée
2 gros oignons
3 yaourts bulgares
1 cuillerée à café de cannelle moulue
3 cuillerées à café de graines de coriandre moulues
2 cuillerées à café de racine de gingembre râpée
1 cuillerée à café de Chili
1/2 cuillerée à café de noix de muscade moulue
1 cuillerée à café de curcuma
10 clous de girofle
2 cuillerées à soupe de poudre d'amandes
2 cuillerées à soupe de pistaches décortiquées
2 cuillerées à café d'huile d'olive vierge extra
Sel, poivre

Préparation

Versez les yaourts dans une jatte. Ajoutez les épices, mélangez bien. Placez la viande dans cette préparation, couvrez et laissez mariner au réfrigérateur pendant 6 heures.

6 heures plus tard, faites dorer les oignons dans une grande cocotte, à l'huile d'olive. Ajoutez les morceaux de viande, faites-les cuire sur toutes les faces, versez la marinade et faites cuire 1 heure à feu doux (rajoutez un ou deux yaourts si la viande a bu toute la marinade).

Escalopes de dinde marinées

Ingrédients pour 4 personnes (comptez 1 heure de marinade)
4 escalopes de dinde
1 poivron rouge
1 poivron vert
2 courgettes
4 belles tomates bien mûres
2 oignons
2 gousses d'ail
1 yaourt bulgare maigre
1 petite boîte de concentré de tomate
1 citron, 1 cuillerée à soupe de vinaigre aromatisé
Thym, basilic, romarin, ciboulette
Sel, poivre du moulin

Préparation

Préparez une marinade avec le jus de citron, le vinaigre, 1 gousse d'ail écrasée, la moitié des herbes hachées grossièrement. Disposez-y les escalopes, salez, poivrez, imprégnez bien la viande et laissez mariner au frais 1 heure.

Pendant ce temps, préparez une sauce avec le yaourt, du sel, du poivre et le petit bouquet de ciboulette hachée. Réservez au frais.

Lavez et épluchez les courgettes, les oignons, découpez-les en rondelles, lavez et épépinez les poivrons et les tomates, détaillez-les en lanières, écrasez l'ail.

Faites revenir les oignons dans une poêle, à l'huile d'olive, puis ajoutez les poivrons, les courgettes, les tomates, le concentré de tomate, l'ail et le restant des herbes hachées. Ajoutez un verre d'eau et laissez cuire 15 minutes, salez en fin de cuisson.

Dans une autre poêle, faites cuire les escalopes marinées 3 à 5 minutes de chaque côté, puis ajoutez-y les légumes cuits.

Disposez sur un plat, et servez avec la sauce au yaourt.

Dinde aux noisettes

Ingrédients pour 6 personnes

1 kg de viande de dinde maigre désossée
60 g de noisettes décortiquées
6 gousses d'ail
5 feuilles de sauge
5 cuillerées à soupe de persil haché
1 dl de vin blanc sec
2 cuillerées à soupe d'huile d'olive vierge extra
Sel, poivre

Préparation

Découpez la viande de dinde en cubes de 3 centimètres de côté environ. Faites dorer la viande dans une cocotte, à l'huile d'olive. Écrasez l'ail grossièrement. Concassez les noisettes. Ôtez les morceaux de la poêle et réservez-les. Versez dans la cocotte 2 dl d'eau, le vin blanc, l'ail, le persil, salez et poivrez. Laissez cuire 15 minutes, puis ajoutez les morceaux de dinde, remuez. Ajoutez la sauge ciselée et les noisettes, couvrez et laissez cuire encore 10 minutes.

Servez bien chaud accompagné de semoule de blé complète ou de millet.

Croquettes de dinde au curry

Ingrédients pour 4 personnes
(comptez 4 heures de repos au réfrigérateur)
400 g d'escalopes de dinde
200 g de champignons de Paris
2 cuillerées à soupe de farine de blé complète
1 tasse de lait de soja
1 cuillerée à café de curry
1 petit bouquet de persil haché
1 œuf
2 cuillerées à soupe de chapelure
Sel, poivre

Préparation

Faites revenir les champignons dans une poêle, à l'huile d'olive. Ajoutez la farine et mélangez bien. Versez le lait de soja et faites cuire en remuant constamment.

Ajoutez le curry, le persil haché, les escalopes de dinde coupées en gros dés, salez, poivrez, mélangez bien, et faites cuire 5 à 10 minutes.

Passez le tout au mixeur. Placez la préparation obtenue dans un saladier, et mettez au frais pendant 4 heures environ.

4 heures plus tard, séparez en 8 portions. Formez des boulettes, aplatissez-les avec la main. Mélangez l'œuf battu et la chapelure, passez les croquettes dans cette préparation.

Faites cuire les croquettes à la poêle, dans l'huile d'olive, 3 minutes environ de chaque côté. Égouttez sur du papier absorbant avant de servir, accompagné d'une grande salade verte à l'huile d'olive, à l'ail et au citron.

Tajine de dinde

Ingrédients pour 4 personnes
600 g de dinde bien maigre désossée
10 échalotes
50 g de raisins secs
50 g de raisin blanc
50 g de raisin noir
1 banane
1 grand verre de bouillon de légumes
1 cuillerée à café de cumin en poudre
1 cuillerée à café de grains de coriandre concassés
Sel, poivre

Préparation

Faites tremper les raisins secs 30 minutes dans un bol d'eau chaude.

Pelez les échalotes, hachez-les grossièrement.

Détaillez la viande en dés, faites-la revenir dans un grand faitout, à l'huile d'olive, avec les échalotes, salez, poivrez.

Ajoutez le cumin et la coriandre en poudre, versez le bouillon.

Versez le tout dans un plat à tajine, ajoutez les raisins secs égouttés, la banane pelée et détaillée en rondelles, couvrez et laissez cuire 40 minutes. Ajoutez les grains de raisin frais, laissez cuire encore 5 minutes et servez.

Curry de poulet

Ingrédients pour 4 personnes

4 escalopes de poulet de 100 g environ
2 oignons
4 gousses d'ail
80 g de raisins secs
2 cuillerées à café de cumin en poudre
1 cuillerée à café de cannelle en poudre
1 cuillerée à café de racine de gingembre râpée
1/2 cuillerée à café de piment de Cayenne
6 clous de girofle
1 grand verre de bouillon de légumes
1 yaourt bulgare maigre
Sel, poivre

Préparation

Faites tremper les raisins secs 20 minutes dans un bol d'eau chaude. Pendant ce temps, faites dorer les blancs de poulet dans un faitout, à l'huile d'olive, retirez-les et réservez-les sur une assiette.

Versez dans le faitout le cumin, la cannelle, le gingembre, le piment de Cayenne en remuant 1 minute afin de dégager tous les arômes.

Ajoutez les oignons et l'ail pelés et hachés, salez, poivrez et faites cuire 5 minutes en remuant.

Remettez les escalopes de poulet, ajoutez le bouillon de légumes, puis laissez mijoter 20 minutes à feu doux.

Ajoutez le yaourt bulgare maigre et les raisins secs, remuez, faites cuire encore 3 minutes et servez aussitôt accompagné de riz ou de légumes.

Poulet muscade

Ingrédients pour 6 personnes
1 beau poulet bio
2 cuillerées à café de noix de muscade râpée
1 bouquet de ciboulette
2 échalotes
2 cuillerées à soupe d'huile d'olive vierge extra
1 branche d'estragon
1 petit verre de vin blanc sec
1 petit verre de lait de soja
Sel, poivre

Préparation

Coupez le poulet en morceaux que vous placerez dans un plat. Saupoudrez les morceaux de noix de muscade râpée. Retournez-les pour qu'ils s'en imprègnent bien.

Faites dorer les morceaux de poulet dans une grande poêle, à l'huile d'olive. Salez, poivrez, ajoutez l'estragon ciselé, le vin blanc, le lait de soja. Couvrez et laissez cuire 20 minutes à feu doux.

Ajoutez alors les échalotes hachées finement et la ciboulette. Faites cuire à découvert encore 20 minutes à feu doux. Servez accompagné de riz sauvage ou de maïs.

Poulet à l'estragon

Ingrédients pour 4 personnes
4 escalopes de poulet
1 carotte
1 oignon
1 citron
3 brins d'estragon
1 pincée de thym
1 cuillerée à soupe de persil haché
1 cuillerée à soupe de sauce de soja
1 petit verre de bouillon de volaille
100 g de fromage blanc maigre
Poivre (la sauce de soja est déjà très salée)

Préparation

Délayez la sauce de soja et le bouillon de volaille dans 300 ml d'eau. Pelez l'oignon, hachez-le grossièrement, lavez et pelez la carotte, coupez-la en fines rondelles.

Découpez les escalopes de poulet en gros cubes. Faites-les dorer dans une poêle, à l'huile d'olive. Placez-les ensuite dans un faitout avec les légumes, le thym et le persil.

Versez la préparation à base de sauce de soja, poivrez et laissez cuire à feu doux 25 minutes. Ajoutez en fin de cuisson le yaourt bulgare maigre. Ajoutez l'estragon et servez aussitôt, accompagné de légumes et de céréales.

Poulet au safran

Ingrédients pour 4 personnes
4 blancs de poulet
1 branche de persil
1 yaourt bulgare maigre
1 citron pressé
2 cuillerées à café de safran en poudre
1 cuillerée à café de coriandre en poudre
1 cuillerée à café de cannelle en poudre
1 cuillerée à café de cardamome en poudre
1 cuillerée à café de racine de gingembre râpée
Sel

Préparation
Mélangez le safran et la racine de gingembre râpée, versez le jus de citron, la coriandre, la cannelle et la cardamome.

Versez cette préparation sur les blancs de poulet et laissez mariner 1 heure.

Dans le four préchauffé (thermostat 6), disposez les blancs de poulet dans un plat. Arrosez d'un peu d'huile d'olive. Laissez cuire, position gril, environ 20 minutes en les retournant de temps en temps.

Quand ils sont cuits, disposez-les dans une poêle, arrosez-les avec la marinade, ajoutez le yaourt bulgare, mélangez, salez, laissez cuire 2 minutes et servez aussitôt, saupoudré de persil haché.

Poulet à la grecque

Ingrédients pour 4 personnes

1 poulet bio
4 oignons
4 gousses d'ail
3 échalotes
3 tomates
2 poivrons doux
200 g d'olives noires dénoyautées
2 cuillerées à soupe d'huile d'olive vierge extra
2 verres de vin blanc sec
1 cuillerée à soupe de curry
Sel, poivre

Préparation

Découpez le poulet en morceaux. Pelez et hachez les oignons, les échalotes et les gousses d'ail. Lavez les tomates et coupez-les en 8. Lavez les poivrons, épépinez-les et découpez-les en dés.

Placez les morceaux de poulet dans un plat creux. Saupoudrez de curry, retournez bien chaque morceau afin qu'il s'imprègne de curry.

Faites dorer les morceaux de poulet dans une grande cocotte, à l'huile d'olive. Ajoutez les oignons, les échalotes et les gousses d'ail. Remuez, laissez cuire 5 minutes, ajoutez les poivrons, le vin blanc, les olives noires. Couvrez et laissez cuire à feu doux 1 heure environ.

Servez accompagné de pommes de terre ou d'une céréale complète.

Poulet mariné à la crème d'ail

Ingrédients pour 6 personnes
(se prépare la veille)
1 poulet bio de préférence
8 gousses d'ail rose
2 cuillerées à soupe d'huile d'olive vierge extra
1 petit verre de lait de soja
1 yaourt bulgare
2 jaunes d'œufs
Sel, poivre

Préparation
Écrasez 8 gousses d'ail rose avec une pincée de gros sel et quelques grains de poivre. Ajoutez le yaourt bulgare. Enduisez le poulet de cette préparation et mettez-le au frais 24 h.

Le lendemain, faites dorer le poulet dans l'huile d'olive au four à 200° C de 45 minutes à 1 heure. Arrosez-le régulièrement avec le jus de cuisson.

Épluchez les 10 gousses d'ail restantes. Faites-les blanchir 5 minutes dans de l'eau bouillante et passez-les au mixeur. Ajoutez le lait de soja et les jaunes d'œufs. Faites cuire au bain-marie en mélangeant constamment jusqu'à ce que la préparation épaississe, sans porter à ébullition.

Quand le poulet est cuit, découpez-le et dressez-le sur un plat. Nappez de crème à l'ail rose, et servez.

Poulet au citron

Ingrédients pour 4 personnes
(comptez le temps de la marinade : 12 h)
1 poulet de 1,2 kg environ
3 citrons non traités
1 petite boîte d'ananas en morceaux
1 poivron vert
1 bouquet de basilic
1 verre à moutarde de vin blanc sec
6 gousses d'ail
1 cuillerée à café de racine de gingembre râpée
Sel, poivre

Préparation

Découpez le poulet en 8 morceaux que vous placerez dans un plat creux.

Ajoutez les citrons lavés et coupés en rondelles, l'ail écrasé, le vin blanc sec, salez, poivrez.

Laissez mariner 12 h au frais en retournant les morceaux de temps en temps.

Après ce temps, égouttez les morceaux de poulet et placez-les au four sous le gril 15 à 20 minutes en les retournant à mi-cuisson. Arrosez régulièrement de marinade.

Pendant que le poulet cuit, faites revenir 5 minutes dans un faitout antiadhésif les morceaux d'ananas et leur jus avec le poivron vert lavé, épépiné et découpé en petits dés, le jus du 3e citron, ajoutez le gingembre râpé, salez.

Replacez les morceaux de poulet dans le plat creux ayant servi à la marinade, versez-y la préparation ananas/poivron, enfournez 5 minutes et servez.

Poulet gratiné

Ingrédients pour 6 personnes

1 poulet de 2 kg environ
100 g de fromage de brebis râpé
2 échalotes
1 gousse d'ail
1 petit bouquet de persil
Quelques feuilles de laurier hachées
1 cuillerée à soupe de basilic haché
2 cuillerées à soupe d'huile d'olive vierge extra
1 petit verre de vin blanc sec
6 clous de girofle
Sel, poivre

Préparation

Coupez le poulet en 8 morceaux. Faites dorer à la poêle, dans l'huile d'olive. Retournez chaque morceau plusieurs fois.

Mouillez au vin blanc. Ajoutez les échalotes hachées, le basilic, le laurier, le persil, l'ail, les clous de girofle. Salez, poivrez, et laissez mijoter 1 heure à feu doux.

Ajoutez un peu de lait de soja au cours de la cuisson si nécessaire.

Placez les morceaux de poulet cuits dans un plat à gratin. Versez la sauce de cuisson sur le poulet. Saupoudrez de fromage de brebis râpé, et faites gratiner 15 à 20 minutes à four chaud.

Poulet au cumin

Ingrédients pour 6 personnes

1 poulet de 1,6 kg environ
250 g de maïs en conserve
200 g de haricots verts frais ou surgelés
1/4 de l de bouillon de légumes
2 gros oignons
1 cuillerée à café de cumin en poudre
1 pincée de piment de Cayenne
Sel, poivre

Préparation

Coupez le poulet en 8 morceaux. Faites-les revenir dans un grand faitout, à l'huile d'olive, de manière à ce qu'ils dorent sans brûler.

Pelez les oignons, émincez-les. Lavez et épluchez les haricots. Égrenez le maïs, ou rincez-le s'il s'agit de maïs en conserve.

Quand les morceaux de poulet ont pris une jolie couleur, ajoutez les oignons émincés, les haricots verts coupés en petits morceaux de 3 cm environ, mouillez avec le bouillon que vous verserez en une seule fois.

Ajoutez le cumin en poudre, le piment de Cayenne, salez, poivrez.

Laissez cuire à feu doux 15 minutes environ à couvert.

Incorporez le maïs, faites cuire encore 10 minutes à feu très doux.

Servez chaud.

Coquelet aux olives noires et au citron

Ingrédients pour 4 personnes

2 coquelets vidés
2 oignons
1 citron non traité
200 g d'olives noires dénoyautées
2 brins de romarin
4 cuillerées à soupe d'huile d'olive
Sel, poivre

Préparation

Préchauffez votre four à 240° C. Lavez soigneusement le citron, prélevez la moitié de son zeste et émincez-le. Lavez et effeuillez le romarin.

Dans un bol, placez le zeste et le romarin. Arrosez d'huile d'olive. Coupez le citron en rondelles. Hachez grossièrement les olives.

Salez et poivrez l'intérieur des coquelets, et garnissez-les du hachis d'olive et des rondelles de citron.

Disposez-les dans un plat allant au four. Épluchez et émincez les oignons, disposez-les tout autour des coquelets. Salez, poivrez. Arrosez d'un filet d'huile d'olive, ajoutez un grand verre d'eau et faites cuire 30 minutes environ.

Retournez les coquelets en cours de cuisson et arrosez-les régulièrement, Servez les coquelets dès la sortie du four, accompagnés d'un gratin de courgettes.

Pintade aux champignons noirs

Ingrédients pour 4 personnes
1 belle pintade
30 g de champignons noirs
250 g de vermicelle chinois
10 cl de sauce de soja
4 cuillerées à soupe de miel liquide
1 cuillerée à soupe de vinaigre
5 cl de vin blanc
2 cuillerées à café de racine de gingembre moulue
Sel, poivre

Préparation
Préchauffez votre four à 220° C. Blanchissez la pintade quelques minutes dans une grande quantité d'eau salée.

Dans une jatte, mélangez la sauce de soja, le miel, le vinaigre, le vin blanc, le gingembre, poivrez. Badigeonnez la pintade de ce mélange. Placez-la au four et laissez cuire 45 minutes en l'arrosant fréquemment de son jus de cuisson. Pendant ce temps, faites gonfler les champignons noirs dans un grand bol d'eau tiède.

Faites cuire le vermicelle selon les instructions figurant sur l'emballage. Égouttez-le, ajoutez les champignons noirs réhydratés, mélangez bien.

Découpez la pintade cuite. Placez les morceaux sur un plat, garnissez de vermicelle aux champignons noirs, et servez aussitôt.

Veau aux champignons

Ingrédients pour 6 personnes
1,4 kg de veau bien maigre désossé
1 branche de thym, quelques feuilles de laurier
6 gousses d'ail
3 cuillerées à soupe de farine de blé complète
200 g de champignons de Paris frais ou surgelés
2 verres de vin blanc sec
2 cuillerées à soupe d'huile d'olive vierge extra
Sel, poivre

Préparation
Coupez le veau en gros cubes. Dans un faitout, faites revenir les morceaux de veau à l'huile d'olive, sur toutes les faces. Salez, poivrez et ajoutez l'ail haché. Remuez bien et laissez cuire encore 5 minutes. Saupoudrez de farine, remuez, mouillez avec le vin blanc, ajoutez un peu d'eau si nécessaire. Ajoutez le thym et le laurier, et laissez mijoter 1 heure. Faites revenir les champignons dans une poêle, dans une cuillerée à café d'huile d'olive. Quand ils sont cuits, ajoutez-les à la viande. Laissez mijoter encore 10 minutes. Servez accompagné de brocolis ou de haricots verts.

Curry de veau

Ingrédients pour 6 personnes
1 kg de veau bien maigre désossé
2 oignons
3 gousses d'ail
4 tomates (fraîches ou en boîte)
1 petite boîte de concentré de tomate
20 cl de vin blanc
1 yaourt bulgare
1 cuillerée à café de curry
1 cuillerée à soupe d'huile d'olive vierge extra
Sel, poivre

Préparation
Découpez la viande en gros dés. Dans un faitout, faites-la revenir dans un peu d'huile d'olive. Ajoutez les oignons émincés, salez, poivrez, laissez cuire 5 minutes, ajoutez les tomates coupées en 8, l'ail haché, le concentré de tomate dilué dans un peu d'eau. Remuez et laissez cuire encore 5 minutes, ajoutez le curry et le vin blanc.

Après 10 minutes de cuisson à feu doux, ajoutez le yaourt bulgare, remuez, faites cuire 2 minutes et servez.

Rôti de veau à la coriandre

Ingrédients pour 6 personnes

1 rôti de veau de 1 kg environ taillé dans un morceau bien maigre
250 g de carottes
250 g de poireaux
2 oignons
2 gousses d'ail
1/2 l de bouillon de légumes
20 baies de coriandre réduites en poudre
1 cuillerée à café de curry
1/2 cuillerée à café de racine de gingembre râpée
1/2 cuillerée à café de piment de Cayenne
6 clous de girofle
Sel, poivre

Préparation

Préchauffez le four à 200° C.

Dans un plat allant au four, placez le rôti bien au centre. Piquez-le de clous de girofle. Arrosez-le de bouillon de légumes, salez, poivrez légèrement. Saupoudrez le tout d'1/2 cuillerée à café de curry, du piment de Cayenne, du gingembre râpé, des baies de coriandre réduites en poudre, et placez au four.

Pendant ce temps, pelez et émincez les oignons, hachez-les grossièrement. Lavez les poireaux, les carottes, jetez la partie non comestible et tronçonnez-les en rondelles.

Dans une poêle antiadhésive, faites revenir pendant 3 minutes les légumes avec l'ail haché. Saupoudrez du reste de curry.

Quand le rôti a cuit 20 minutes, retournez-le, arrosez-le du jus de cuisson et disposez autour les petits légumes cuits.

Laissez cuire encore 1 heure, en arrosant de temps en temps. Servez accompagné de riz ou de toute autre céréale.

Rôti de veau à l'anis

Ingrédients pour 4 personnes (comptez 1 h 30 de marinade)

1 rôti de dinde de 1 kg environ
2 cuillerées à soupe de graines d'anis moulues
2 oignons
6 gousses d'ail
4 tomates
1 verre de vin blanc
1 branche de thym
1 branche de laurier
2 cuillerées à soupe d'huile d'olive
1 cuillerée à soupe de ciboulette hachée
1 cuillerée à soupe de persil haché
1 cuillerée à soupe de farine
Sel, poivre

Préparation

Faites mariner le rôti pendant 1 h 30 dans une grande jatte avec les graines d'anis moulues, l'oignon haché, 2 gousses d'ail, le vin blanc sec, le thym, le laurier, salez, poivrez.

Pelez et émincez l'autre oignon et les gousses d'ail restantes. Ôtez le rôti de dinde de la marinade, essuyez-le bien, puis faites-le dorer dans un faitout, à l'huile d'olive. Ajoutez l'oignon haché, l'ail écrasé, les tomates, la ciboulette, le persil.

Salez, poivrez et ajoutez la marinade. Couvrez et laissez cuire 1 h 15 en retournant de temps en temps et en arrosant du jus de cuisson.

Bœuf au chou-fleur

Ingrédients pour 6 personnes

1 kg de viande de bœuf bien maigre (rosbif, rumsteck, hampe, onglet...)
1 petit chou-fleur
2 oignons
1 poivron vert
1 concombre
1 verre de bouillon de légumes
3 cuillerées à soupe de sauce de soja
3 cuillerées à soupe de vinaigre
2 cuillerées à soupe de concentré de tomate
Sel, poivre

Préparation

Lavez les légumes. Détaillez le chou-fleur en bouquets. Plongez-les dans une grande quantité d'eau bouillante salée pendant 10 minutes.

Pendant ce temps, pelez les oignons, émincez-les, faites-les cuire dans un faitout, à l'huile d'olive.

Découpez la viande en lanières, ajoutez-les aux oignons quand ces derniers ont pris une jolie couleur.

Incorporez le poivron pelé, épépiné et détaillé en très petits cubes, le chou-fleur ébouillanté, le concombre pelé coupé en dés, salez, poivrez, remuez.

Ajoutez le concentré de tomate dilué dans le bouillon, la sauce de soja, le vinaigre.

Couvrez et laissez cuire à feu doux 20 minutes. Servez accompagné de millet.

Bœuf aux oignons

Ingrédients pour 4 personnes
(comptez 1 heure de marinade)

800 g de bœuf bien maigre
2 beaux oignons
400 g de carottes
1 verre à moutarde de vin blanc sec
Sauge, thym
1 cuillerée à soupe de moutarde forte
1 citron non traité
1 yaourt bulgare
1 branche de persil
Sel, poivre

Préparation

Détaillez le bœuf en gros cubes. Placez-les dans un plat creux, arrosez de vin blanc et de jus de citron, ajoutez la sauge et le thym, salez, poivrez, retournez plusieurs fois les morceaux de manière à ce qu'ils soient bien imprégnés de marinade, et placez au frais 1 heure.

Après ce temps, faites revenir les morceaux de viande égouttés dans un grand faitout, à l'huile d'olive. Ajoutez les oignons pelés et émincés, versez la marinade, et laissez cuire 30 minutes à feu doux.

Lavez, pelez et tronçonnez les carottes, ajoutez-les à la préparation, salez et poivrez et faites cuire à couvert 30 minutes.

Hors du feu, ajoutez la moutarde et le yaourt, saupoudrez de persil haché et servez aussitôt.

Bœuf au paprika

Ingrédients pour 4 personnes
800 g de viande de bœuf bien maigre et désossée
200 g d'oignons
200 g de champignons de Paris
10 cornichons
1/2 l de bouillon de légumes
1 verre à moutarde de lait de soja
1 cuillerée à soupe de paprika
1 pincée de piment de Cayenne
Sel, poivre

Préparation

Pelez et hachez les oignons, lavez, épluchez et émincez les champignons.

Détaillez la viande de bœuf en lanières de 4 cm de long et 1 cm de large environ. Faites-la revenir dans un faitout, à l'huile d'olive, 3 à 5 minutes environ. Ôtez-la et réservez-la dans un plat.

Dans la même poêle, faites revenir les oignons hachés. Ajoutez les champignons, laissez cuire 5 minutes.

Ajoutez ensuite les cornichons coupés en rondelles, le paprika, le piment de Cayenne, arrosez de bouillon de légumes, laissez cuire 3 minutes.

Ajoutez le lait de soja, laissez cuire encore 2 minutes et servez aussitôt.

Bœuf aux quatre-épices

Ingrédients pour 4 personnes
800 g de viande de bœuf bien maigre (tranche, paleron, gîte, noix...)
400 g de carottes
3 oignons
1 gousse d'ail
1 cuillerée à soupe de « quatre-épices » (gingembre, cannelle, muscade, girofle)
3 cuillerées à soupe de sauce de soja
1 cuillerée à soupe d'huile d'olive vierge extra
Sel, poivre

Préparation
Découpez le bœuf en gros dés. Pelez et hachez finement l'ail et l'oignon, lavez et pelez les carottes, coupez-les en tranches très fines. Faites cuire les oignons dans un grand faitout, à l'huile d'olive, jusqu'à ce qu'ils deviennent transparents. Ajoutez les carottes, l'ail, la sauce de soja, les « quatre-épices », mouillez d'un grand verre d'eau ou de bouillon de légumes. Laissez cuire 1 heure environ en remuant de temps en temps.

Servez accompagné de haricots rouges cuisinés.

Bœuf en papillotes (recette thaïlandaise)

Ingrédients pour 4 personnes
800 g de viande de bœuf bien maigre
1 cuillerée à soupe de curry en poudre
2 yaourts bulgares
1 petit chou chinois
1 cuillerée à café de piment de Cayenne
1 cuillerée à soupe de sauce de soja
1 cuillerée à soupe de basilic haché

Préparation
Versez les yaourts bulgares dans une jatte. Ajoutez la sauce de soja, incorporez la viande.

Ajoutez le basilic haché, le piment de Cayenne et le petit chou découpé en lanières. Séparez en 4 portions égales, que vous disposerez sur des feuilles d'aluminium. Fermez hermétiquement chaque papillote.

Faites cuire à la vapeur ou au four (position « gril ») pendant 15 à 20 minutes.

Servez avec un riz parfumé.

Porc aux abricots

Ingrédients pour 4 personnes
(comptez 12 heures de trempage)
800 g d'échine de porc
250 g d'abricots secs
2 oignons
1 morceau de racine de gingembre
2 cuillerées à soupe d'huile d'olive vierge extra
Sel, poivre

Préparation
Placez les abricots secs dans une grande jatte. Réhydratez-les en versant dessus 1,5 l d'eau bouillante. Couvrez et laissez reposer 12 heures.

Pelez et émincez les oignons. Râpez la racine de gingembre.

Découpez l'échine en gros cubes. Faites-la dorer dans une cocotte, à l'huile d'olive. Ajoutez les oignons et la racine de gingembre, remuez, faites cuire encore 5 minutes. Ajoutez les abricots égouttés, salez, poivrez, couvrez et laissez cuire à feu doux 1 heure 15 minutes.

Servez accompagné d'une céréale complète (boulghour, millet, riz, blé...).

Porc au piment de Cayenne

Ingrédients pour 4 personnes
1 kg d'échine de porc désossée
500 g de tomates
2 courgettes
2 aubergines
2 oignons
1 gousse d'ail
1 branche de thym
2 cuillerées à soupe d'huile d'olive vierge extra
3 cuillerées à soupe de piment de Cayenne
Sel

Préparation

Découpez la viande en gros dés. Faites-la revenir dans une cocotte, sur toutes les faces, à l'huile d'olive. Lavez et épluchez les aubergines, les courgettes, les tomates, découpez-les en cubes. Pelez les oignons, l'ail, émincez-les grossièrement.

Ôtez la viande du faitout, réservez-la. Jetez les légumes dans le faitout, remuez, laissez cuire à feu doux 10 minutes. Ajoutez le thym, le laurier, le piment de Cayenne, salez, incorporez la viande, mouillez avec un grand verre d'eau ou de bouillon de légumes, et faites cuire à feu doux 1 heure environ.

Porc à la coriandre

Ingrédients pour 4 personnes
800 g d'échine de porc bien maigre
2 cuillerées à soupe de feuilles de coriandre hachées
+ quelques feuilles entières pour la déco
2 cuillerées à café de cumin en poudre
2 citrons non traités
1 cuillerée à café de paprika
1 cuillerée à soupe d'huile d'olive vierge extra
1 verre de lait de soja
2 gousses d'ail
1 cuillerée à soupe de sauce de soja
Poivre

Préparation

Découpez le porc en gros cubes. Faites revenir les morceaux dans une cocotte, à l'huile d'olive, sur chaque face.

Ajoutez le lait de soja, l'ail haché, le cumin, la sauce de soja, le paprika, poivrez.

Couvrez et laissez cuire 20 minutes à feu doux en remuant de temps en temps.

Découpez l'un des citrons en tranches, ajoutez-les au plat. Faites mijoter encore 5 à 10 minutes, incorporez les feuilles de coriandre hachées.

Dressez dans un plat, décoré de quartiers de citron. Saupoudrez de feuilles de coriandre hachées, et servez.

Rôti de porc à l'ananas

Ingrédients pour 6 personnes
(comptez 12 heures de marinade)
1 rôti de porc de 1,2 kg dans un morceau bien maigre (filet)
1 ananas frais ou, à défaut, 1 grande boîte d'ananas
1 petite bouteille de jus d'ananas
ou le jus de l'ananas en conserve
100 g de pruneaux
3 cuillerées à soupe de sauce de soja
1 verre de bouillon de légumes
1 cuillerée à café de coriandre
1 pincée de cumin
Sel, poivre

Préparation
Allumez le four à 200° C.

Confectionnez une marinade avec le jus d'ananas, la sauce de soja, la coriandre, les pruneaux dénoyautés et le cumin.

Placez-y le rôti de porc ficelé et mettez au réfrigérateur pour 12 heures en le retournant de temps en temps.

12 heures plus tard :

Réservez les pruneaux de la marinade.

Placez le rôti dans un plat creux, arrosez du 1/3 de la marinade, ajoutez un verre d'eau ou de bouillon de légumes dans le plat pour éviter que le rôti, cuit sans matière grasse, ne se dessèche.

Faites cuire environ 1 heure, arrosez avec le reste de la marinade, ajoutez les pruneaux et l'ananas en morceaux, et enfournez encore 20 minutes. Le rôti prend une jolie couleur dorée.

Servez accompagné de brocolis ou de chou-fleur.

Poissons

Brochettes de thon au fenouil

Ingrédients pour 4 personnes
600 g de thon
2 échalotes, 1 oignon
8 petits champignons de Paris
4 tomates
1 poivron vert
1 citron
1 pincée de fenouil séché
2 cuillerées à soupe de vin blanc
2 cuillerées à soupe de lait de soja
2 cuillerées à café de persil, d'aneth, de ciboulette
1 cuillerée à soupe d'huile d'olive
Sel, poivre

Préparation
Allumez le four (200° C). Préparez la marinade en mélangeant l'huile d'olive, le vin blanc, le lait de soja, les échalotes hachées, le jus de citron, le persil, la ciboulette, l'aneth et le fenouil. Poivrez. Pelez l'oignon et coupez-le en 8 morceaux. Lavez et épépinez le poivron, découpez-le en carrés. Lavez et épluchez les champignons, et découpez-les en lamelles. Lavez les tomates, découpez-les en 8. Découpez le thon en dés. Huilez les brochettes. Enfilez en alternance les légumes et les morceaux de thon, recouvrez de marinade. Salez et placez au frais 1 heure. Égouttez sur du papier absorbant, salez, poivrez, puis faites griller les brochettes au four position gril 4 minutes de chaque côté en arrosant de marinade. Servez accompagné de crudités.

Brochettes de merlu au melon

Ingrédients pour 4 personnes
(comptez 1 h pour la marinade)
600 g de merlu
1 melon
3 citrons
3 gousses d'ail
1 cuillerée à café de racine de gingembre râpée
1 cuillerée de graines de coriandre réduites en poudre
1/2 cuillerée à café de piment de Cayenne
Sel, poivre

Préparation

Détaillez le merlu en cubes de 3 à 4 cm de côté. Placez-le dans un plat creux, arrosez du jus des 3 citrons, ajoutez l'ail haché, le gingembre râpé, la coriandre en poudre et le piment de Cayenne.

Laissez mariner 1 heure au frais en retournant les morceaux de temps en temps.

Ôtez les morceaux de merlu de la marinade, disposez dans un plat, placez-les au four position gril, et faites-les dorer sur toutes les faces environ 15 minutes.

Coupez le melon, épépinez-le, retirez l'écorce et coupez-le en dés de 3 à 4 cm de côté.

Enfilez les morceaux de melon en alternance avec les morceaux de merlu cuits sur les brochettes huilées, arrosez de marinade, salez, poivrez et replacez au four position gril environ 5 minutes de chaque côté.

Servez aussitôt, accompagné d'une salade verte ou de riz.

Saumon fumé à l'ananas

Ingrédients pour 4 personnes
2 tranches de saumon fumé
1 petit chou blanc
1 petite boîte d'ananas en conserve
1/2 verre de jus d'orange
1 bouquet d'aneth
1 pincée de gingembre râpé
Sel, poivre

Préparation
Lavez et râpez le chou blanc, mélangez-le délicatement dans un saladier aux branches d'aneth finement ciselées.
Découpez les rondelles d'ananas en 4. Ajoutez-les à la préparation, salez, poivrez.
Versez le jus d'orange et ajoutez le gingembre râpé, mélangez délicatement.
Détaillez le saumon fumé en lamelles d'environ 1 cm de large pour 3 cm de long.
Parsemez-les délicatement sur la salade.

Potée de cabillaud aux champignons de Paris

Ingrédients pour 4 personnes
4 darnes de cabillaud
300 g de champignons de Paris frais
6 échalotes
1 oignon
2 gousses d'ail
1 verre à moutarde de vin blanc
1 bouquet de persil
Sel, poivre

Préparation

Lavez et épluchez les champignons, coupez-les en fines lamelles. Pelez et hachez les échalotes, l'oignon, les gousses d'ail.

Découpez les morceaux de cabillaud en gros cubes, faites-les revenir dans une cocotte, à l'huile d'olive, mouillez avec le vin blanc, ajoutez les échalotes, l'oignon et l'ail haché, les champignons émincés, faites cuire 20 minutes à couvert, salez, poivrez, laissez cuire encore 5 minutes.

Disposez dans un plat, saupoudrez de persil haché et servez aussitôt.

Cabillaud au gingembre

Ingrédients pour 4 personnes
600 g de filets de cabillaud
200 g de chou-fleur
2 pommes de terre
2 oignons
2 gousses d'ail
2 cuillerées à café de gingembre râpé
1/2 cuillerée à café de piment de Cayenne
1 cuillerée à soupe de curry
1 poivron rouge
2 grands verres de bouillon de légumes
1 yaourt bulgare
Sel, poivre

Préparation

Détaillez les filets de cabillaud en morceaux de 5 cm de côté environ. Pressez les citrons, versez le jus sur le poisson, saupoudrez de curry.

Pelez les oignons, hachez-les grossièrement. Épépinez le poivron, détaillez-le en lanières de 1 cm de large sur 3 cm de long environ.

Lavez le chou-fleur, découpez-le en bouquets, coupez les pommes de terre pelées en petits cubes.

Faites dorer les oignons 5 minutes dans un large faitout, à l'huile d'olive, avec un peu de bouillon de légumes, ajoutez l'ail haché, le gingembre, le piment de Cayenne, le poivron, le chou-fleur, les pommes de terre.

Incorporez les morceaux de cabillaud, faites-les dorer sur toutes les faces, versez 2 grands verres de bouillon de légumes, faites mijoter 15 minutes, versez le yaourt bulgare, chauffez encore 2 minutes et servez.

Cake de lotte aux échalotes

Ingrédients pour 4 personnes
4 filets de lotte
4 échalotes
2 gousses d'ail
4 carottes
2 poireaux
1/2 verre à moutarde de lait de soja
2 blancs d'œufs
Sel, poivre

Préparation
Lavez et épluchez les poireaux et les carottes, tronçonnez-les, pelez les échalotes, coupez-les en quartiers, jetez le tout dans un faitout et faites cuire à l'huile d'olive pendant 3 minutes.

Mouillez au vin blanc, et prolongez la cuisson jusqu'à ce que les légumes soient cuits (environ 20 minutes).

Versez les légumes cuits et le poisson cru dans un mixeur, ajoutez le lait de soja, salez, poivrez, mixez, et versez dans une jatte.

Battez les blancs en neige très ferme, mélangez-les délicatement à la préparation, versez le tout dans un moule à cake antiadhésif.

Faites cuire au bain-marie, à four chaud, 1 heure environ.

Servez chaud en plat principal accompagné de riz complet.

Croquettes de colin

Ingrédients pour 4 personnes
600 g de filet de colin
3 cuillerées à soupe de farine de blé complète
2 œufs
3 cuillerées à soupe de curry
2 gousses d'ail
1 cuillerée à soupe de sauce de soja
4 cuillerées à soupe de chapelure
3 cuillerées à soupe d'huile d'olive vierge extra
Poivre

Préparation

Lavez le colin, ôtez les éventuelles arêtes. Placez dans le bol du mixeur le colin découpé en dés, les œufs, le curry, l'ail, la sauce de soja et la farine. Formez de petites galettes de cette préparation (environ 4 cm de diamètre sur 2 cm d'épaisseur). Placez la chapelure dans une assiette, et passez-y les galettes.

Faites frire dans une poêle, à l'huile d'olive, sur les deux faces et servez accompagné de riz parfumé.

Curry de colin

Ingrédients pour 4 personnes
600 g de darnes de colin
200 g de chou-fleur
2 pommes de terre
2 oignons, 2 gousses d'ail
1/2 cuillerée à café de piment de Cayenne
1 cuillerée à soupe de curry
1 cuillerée à café de gingembre râpé
1 poivron rouge
2 grands verres de bouillon de légumes
1 yaourt bulgare
Sel, poivre

Préparation

Détaillez les darnes de colin en morceaux de 5 cm de côté environ. Pressez les citrons, versez le jus sur le poisson, saupoudrez de curry.

Pelez les oignons, hachez-les grossièrement. Pelez le poivron, détaillez-le en lanières de 1 cm de large sur 3 cm de long environ.

Lavez le chou-fleur, découpez-le en bouquets, coupez les pommes de terre pelées en petits cubes.

Faites dorer les oignons 5 minutes dans un large faitout, à l'huile d'olive. Arrosez de bouillon de légumes. Ajoutez l'ail haché, le gingembre, le piment de Cayenne, le poivron, le chou-fleur, les pommes de terre.

Incorporez les morceaux de colin, faites-les dorer sur toutes les faces, versez deux grands verres de bouillon de légumes, faites mijoter 15 minutes, versez le yaourt bulgare, chauffez encore 2 minutes et servez.

Filets de haddock au fenouil

Ingrédients pour 4 personnes
(marinade : 1 h)
4 filets de haddock
1 bulbe de fenouil
2 tomates
3 gousses d'ail
3 citrons
Herbes de Provence
Sel, poivre

Préparation

Préparez une marinade avec le jus de 2 citrons pressés, l'ail écrasé, les herbes de Provence. Placez-y les filets de haddock, retournez-les plusieurs fois pour qu'ils s'imprègnent bien de la préparation et placez au réfrigérateur 1 heure environ.

Pendant ce temps, épluchez et hachez le fenouil, pelez et épépinez les tomates, mélangez le tout dans une jatte avec le jus du 3e citron.

Faites cuire les filets de haddock bien égouttés dans une poêle, à l'huile d'olive, 5 à 10 minutes de chaque côté. Ajoutez la marinade, laissez cuire encore 3 à 5 minutes.

Servez aussitôt, recouvert de la sauce au fenouil.

Filets de haddock marinés

Ingrédients pour 4 personnes
(marinade : 1 h)
4 filets de haddock
1 bulbe de céleri-rave
2 tomates
3 gousses d'ail
3 citrons
Herbes de Provence
Sel, poivre du moulin

Préparation

Préparez une marinade avec le jus de 2 citrons pressés, l'ail écrasé, les herbes de Provence. Placez-y les filets de haddock, retournez-les plusieurs fois pour qu'ils s'imprègnent bien de la préparation et placez au réfrigérateur 1 heure environ.

Pendant ce temps, épluchez et hachez le céleri, pelez et épépinez les tomates, mélangez-les dans un bol avec le jus du 3e citron.

Faites griller les filets de haddock bien égouttés 5 à 10 minutes de chaque côté au four, position gril, en les arrosant de temps en temps avec la marinade.

Servez aussitôt, recouvert de la sauce au céleri.

Filets de saint-pierre à la bière

Ingrédients pour 4 personnes
4 filets de saint-pierre
1 canette de bière blonde
4 échalotes
1 oignon
1 petite boîte de concentré de tomate
6 tranches de pain complet
Sel, poivre du moulin

Préparation
Faites revenir les échalotes et l'oignon pelés et hachés dans une cocotte, à l'huile d'olive, mouillez avec la bière.
Ajoutez les filets de saint-pierre, salez, poivrez, et faites cuire à couvert environ 20 minutes à feu doux.
Faites griller les quatre tranches de pain complet.
Disposez chaque filet de saint-pierre cuit sur une tranche de pain complet grillé, disposez le tout dans un plat que vous réserverez au chaud.
Versez le concentré de tomate dans la cocotte, faites réduire la sauce de moitié, versez sur le poisson et le pain, et servez aussitôt, accompagné de légumes verts.

Filets de saint-pierre au safran

Ingrédients pour 4 personnes
4 filets de saint-pierre
1 oignon
1 échalote
1/2 concombre
1/2 verre de lait de soja
1/4 de l de bouillon de légumes
1 cuillerée à café de safran
1 pincée de gingembre râpé
1 bouquet de persil
1 citron
Sel, poivre

Préparation

Lavez les filets de saint-pierre sous l'eau courante froide, posez-les sur un torchon propre et essuyez-les bien.

Arrosez de jus de citron.

Pelez et émincez l'oignon et l'échalote, épluchez l'oignon, coupez le concombre en 4 dans le sens de la longueur. Détaillez ensuite chacune des 4 parties en tranches fines.

Versez un peu d'huile d'olive dans un grand faitout. Jetez-y l'oignon, l'échalote, le concombre, salez, poivrez, ajoutez le safran et le gingembre râpé et faites revenir à feu moyen.

Mouillez avec le bouillon, remuez, ajoutez le lait de soja.

Lorsque le liquide est arrivé à ébullition, disposez-y les filets de saint-pierre, laissez cuire à feu très doux 3 minutes par face.

Disposez les filets de saint-pierre dans un plat de service, nappez de sauce et saupoudrez de persil. Servez immédiatement.

Brochet aux artichauts

Ingrédients pour 4 personnes
1 beau brochet
10 fonds d'artichaut
200 g de courgettes
1 oignon, 1 gousse d'ail
1 citron
1 branche de fenouil
6 cuillerées à soupe d'huile d'olive
1 tasse de bouillon de légumes
70 g de gros sel
Sel, poivre du moulin

Préparation
Lavez, écaillez, ébarbez et videz le poisson, puis salez-le et poivrez-le.

Disposez le brochet dans un plat allant au four, préalablement huilé à l'huile d'olive, sur quelques brins de fenouil. Faites cuire à four chaud pendant 10 minutes environ à 170° C. Lavez les fonds d'artichaut, ôtez-en le foin.

Versez 4 cuillères à soupe d'huile d'olive dans une poêle. Quand l'huile est chaude, jetez-y les oignons, les fonds d'artichauts coupés en cubes et le reste du fenouil. Faites cuire à feu doux en veillant à ce que les légumes ne noircissent pas.

Versez le bouillon de légumes, ainsi que l'ail haché. Salez, poivrez, faites réduire de moitié.

Pendant ce temps, dans une casserole, faites bouillir 10 cl d'eau dans laquelle vous aurez jeté les 70 g de gros sel. Jetez-y les courgettes coupées en quartiers ou en bâtonnets. Faites cuire 5 à 6 minutes environ après la reprise de l'ébullition pour qu'elles restent un peu croquantes.

Quand le brochet est cuit, disposez-le sur un plat à poisson. Arrosez d'un filet d'huile d'olive et d'un autre de jus de citron, placez les légumes en couronne autour du brochet et servez aussitôt.

Daurade au vermouth

Ingrédients pour 4 personnes

4 filets de daurade
Quelques belles feuilles de batavia
100 g de courgettes
1/2 poivron rouge
1/2 poivron vert
1 tomate
1 branche de fenouil
1 branche de basilic
1 branche d'estragon
1/2 citron
25 cl d'huile d'olive vierge extra
4 cl de vermouth
Sel, poivre du moulin
Quelques branches d'aneth frais

Pour la décoration :
1/2 poivron jaune
80 g d'olives dénoyautées

Préparation

Lavez les filets de daurade, épongez-les. Ôtez les éventuelles arêtes. Détaillez le poivron vert et rouge, les courgettes, en petits dés. Faites-les cuire séparément dans de l'eau salée. Égouttez-les soigneusement et rassemblez-les, ajoutez 20 cl d'huile d'olive, les 4 cl de vermouth, la branche d'estragon haché (réservez-en quelques feuilles), le jus d'1/2 citron, salez, poivrez et faites tiédir avec les dés de tomate.

Découpez le 1/2 poivron jaune en bâtonnets de 1 cm d'épaisseur et de 5 cm de longueur environ. Faites-les cuire dans de l'eau salée pendant 5 minutes environ.

Dans un mortier, pilez grossièrement les olives avec les

quelques feuilles de basilic restantes, poivrez et versez les 5 cl d'huile d'olive restants.

Lavez et essorez la salade, réservez quelques grandes feuilles pour la décoration.

Salez et poivrez les filets de daurade. Faites-les cuire sur les deux faces à feu doux à l'huile d'olive pendant environ 8 minutes.

Disposez dans un grand plat rond. Alignez les bâtonnets de poivron jaune ; entre eux, placez le hachis d'olives. Au centre, placez la salade, salez, poivrez, décorez de quelques feuilles de basilic, disposez les filets de daurade en veillant à ne pas les briser. Parsemez de branches d'aneth. Servez avec un mélange de petits légumes tièdes à l'huile d'olive.

Médaillons de daurade aux olives

Ingrédients pour 4 personnes
4 médaillons de daurade d'environ 150 g pièce
75 g d'olives noires dénoyautées
1 tomate
3 cuillerées à soupe d'huile d'olive
1 branche de thym frais
1 petit verre de vin blanc sec
1 cuillerée à soupe de persil frais haché
Sel, poivre

Préparation
Préchauffez le four à 200°.

Faites dorer les médaillons de daurade dans une poêle, à l'huile d'olive. Placez le poisson dans un plat allant au four. Arrosez d'un filet d'huile d'olive. Garnissez de la chair de tomates coupée en dés, des olives hachées grossièrement. Émiettez la branche de thym. Saupoudrez de persil haché, arrosez de vin blanc et faites cuire 10 à 15 minutes.

Lotte aux filets d'anchois

Ingrédients pour 4 personnes

1 belle lotte
16 filets d'anchois cuits, frais ou en conserve
2 tomates
2 oignons
2 échalotes
2 citrons non traités
1 petit verre de vin blanc sec
1 cuillerée à soupe de cerfeuil haché
1 cuillerée à soupe d'huile d'olive vierge extra
Sel, poivre

Préparation

Préchauffez le four à 180° C. Lavez et préparez la lotte.

Sur une grande feuille d'aluminium, disposez les tomates lavées et coupées en tranches, les oignons en rondelles, les échalotes hachées, les citrons en rondelles, 1/2 cuillerée à soupe de cerfeuil haché et 8 filets d'anchois. Posez la lotte sur ce lit de cuisson. Disposez sur la lotte les 8 filets d'anchois restants, arrosez de vin blanc, saupoudrez de cerfeuil, salez, poivrez, fermez hermétiquement la papillote et faites cuire au four 20 à 30 minutes.

Filets de lotte gratinés

Ingrédients pour 4 personnes
4 filets de lotte
600 g de pommes de terre
1 citron
1 petite boîte de concentré de tomate
1 bouquet de persil haché
5 cuillerées à soupe de comté râpé
Sel, poivre

Préparation
Préchauffez le four à 200°.

Faites cuire les pommes de terre à l'eau ou à la vapeur. Pelez-les, découpez-les en rondelles. Disposez-les dans le fond d'un plat à gratin.

Rincez les filets de lotte et épongez-les. Placez-les sur les pommes de terre en rondelles. Arrosez de jus de citron. Versez le concentré de tomate dilué dans un petit bol d'eau tiède. Poivrez et parsemez de persil haché. Arrosez d'un filet d'huile d'olive. Salez, poivrez. Recouvrez de comté râpé. Enfournez et faites cuire pendant 15 à 20 minutes.

Barbue au concombre et au basilic

Ingrédients pour 4 personnes
4 filets de barbue
1 concombre
1 bouquet de basilic
1 citron
1 petit verre de vin blanc sec
Sel, poivre

Préparation

Coupez le concombre en 4 dans le sens de la longueur, puis encore en 4.

Dans une poêle à l'huile d'olive, faites cuire le concombre 2 minutes à feu doux, salez, poivrez, ôtez du feu.

Versez les morceaux de concombre cuit dans un plat creux, arrosez-les de jus de citron, saupoudrez de basilic.

Faites revenir les filets de barbue dans la poêle 3 minutes de chaque côté, mouillez au vin blanc.

Versez la préparation à base de concombre sur le poisson cuit, faites cuire encore 2 minutes, dressez sur un plat et servez immédiatement, accompagné de sarrasin ou de millet.

Barbue à l'estragon

Ingrédients pour 4 personnes
600 g de filets de barbue
2 citrons
200 g de lentilles
1 oignon
6 clous de girofle
1 cuillerée à soupe de moutarde forte
2 cuillerées à soupe de vinaigre
2 branches d'estragon
2 feuilles de laurier
1 branche de thym
Sel, poivre

Préparation

Faites cuire les lentilles 30 minutes dans une casserole d'eau dans laquelle vous aurez mis l'oignon pelé et piqué de clous de girofle.

Faites chauffer une grande quantité d'eau salée dans laquelle vous aurez versé le jus des 2 citrons et ajouté le laurier et le thym.

Découpez les filets de barbue en cubes. Pochez-les 5 minutes dans l'eau bouillante, égouttez-les et réservez-les.

Lavez l'estragon, hachez-le, mettez-le dans un bol avec le vinaigre et la moutarde, salez, poivrez.

Égouttez les lentilles, mettez-les dans un plat, versez-y la préparation à base de moutarde, mélangez bien.

Ajoutez les morceaux de barbue aux lentilles en remuant doucement pour ne pas les briser, servez aussitôt.

Gambas pimentées

Ingrédients pour 6 personnes
36 gambas
1 cuillerée à café de piment en poudre
4 gousses d'ail
3 cuillerées à soupe d'huile d'olive
1 bouquet de persil
1 citron non traité
Sel, poivre

Préparation
Faites cuire les gambas dans une grande quantité d'eau bouillante. Égouttez-les. Pelez et écrasez l'ail. Dans une grande poêle, faites revenir l'ail et le piment en poudre. Ajoutez les gambas, et laissez cuire 5 à 10 minutes en remuant constamment. Ajoutez le persil ciselé, dressez dans un plat et servez, décoré de quartiers de citron et de petits bouquets de persil.

Langoustines à la tomate

Ingrédients pour 4 personnes

24 langoustines
4 belles tomates
2 oignons
1 branche de persil
1 grand verre de vin blanc sec
1 cuillerée à café d'origan
1/2 cuillerée à café de piment de Cayenne
1 verre de bouillon de légumes
Sel, poivre

Préparation

Faites dorer les oignons pelés et hachés dans une cocotte, avec 1/2 verre de bouillon de légumes, ajoutez les tomates découpées en dés, le vin blanc, le persil haché, l'origan, le piment de Cayenne, salez, poivrez.

Laissez cuire à découvert jusqu'à complète évaporation du liquide.

Rincez et décortiquez les langoustines, égouttez-les soigneusement.

Dans une poêle, faites revenir les langoustines dans l'huile d'olive. Arrosez d'un peu de bouillon. Quand elles sont dorées, placez-les délicatement dans la cocotte, et cuisez encore 10 minutes. Servez immédiatement.

Méli-mélo de coquillages aux échalotes

Ingrédients pour 4 personnes

16 moules
8 noix de saint-Jacques
12 pétoncles
12 palourdes
2 échalotes
4 gousses d'ail
1 petit verre de vin blanc sec
1 bouquet de persil
1 branche de thym
Quelques feuilles de laurier
Sel, poivre

Préparation

Faites cuire les coquillages séparément. Décoquillez-les. Hachez les échalotes, l'ail, le persil et les feuilles de laurier. Faites revenir tous les coquillages à feu doux dans une poêle, à l'huile d'olive. Ajoutez le hachis à base d'échalotes. Mouillez au vin blanc, ajoutez le thym. Salez, poivrez, remuez, faites cuire encore 10 minutes. Dressez sur un plat, saupoudré de persil, et servez accompagné de riz complet ou de pommes de terre vapeur.

Saumon à la tomate

Ingrédients pour 4 personnes
4 darnes de saumon
4 tomates
1 petite boîte de concentré de tomate
8 gousses d'ail
3 cuillerées à soupe d'huile d'olive vierge extra
1 citron non traité
1 bouquet de persil
Sel, poivre

Préparation
Préchauffez le four à 220° C.
Lavez les darnes de saumon, disposez-les dans un plat à gratin légèrement huilé. Lavez les tomates, découpez-les en rondelles, disposez-les sur le saumon. Pelez l'ail, hachez-le, recouvrez-en les tomates. Diluez le concentré de tomate dans deux verres d'eau. Versez cette préparation dans le plat. Salez, poivrez, ajoutez le persil haché, arrosez de jus de citron et d'un filet d'huile d'olive, et faites cuire 20 à 30 minutes.

Saumon sauce brocolis

Ingrédients pour 4 personnes
4 darnes de saumon
500 g de brocolis
500 g d'épinards frais
1 bouquet de basilic
1 bouquet de persil
3/4 de l de fumet de poisson
1 grand verre de lait de soja
Sel, poivre

Préparation
Faites cuire séparément, dans une grande quantité d'eau bouillante salée ou dans une cocotte, les brocolis et les épinards. Pendant ce temps, faites réduire de moitié le fumet de poisson, ajoutez-y le lait de soja, le persil et le basilic hachés.

Quand les légumes sont cuits, rafraîchissez-les, et placez-les dans le bol du mixeur avec la préparation à base de fumet de poisson. Salez, poivrez, mixez de manière à obtenir une préparation homogène et liquide.

Faites cuire les darnes de saumon dans une poêle, dans un peu d'huile d'olive. Dressez sur un plat, décoré de persil et de quartiers de citron, et servez avec la sauce à part.

Saumon au céleri et à l'aneth

Ingrédients pour 4 personnes
4 darnes de saumon
2 carottes
2 blancs de poireaux
2 branches de céleri
2 oignons
Le jus d'1/2 citron
1 branche d'aneth
3 feuilles de sauge
3 feuilles de laurier
1 grand verre de bouillon de légumes
1 petit verre de vin blanc sec
Sel, poivre

Préparation

Lavez les darnes de saumon à l'eau froide. Essuyez-les sur un torchon bien propre. Détaillez-les en cubes, arrosez-les de jus de citron.

Pelez les oignons, hachez-les grossièrement, faites-les cuire dans une cocotte, à l'huile d'olive, jusqu'à ce qu'ils deviennent transparents.

Lavez et épluchez les carottes, les blancs de poireaux, coupez-les en petits cubes. Lavez et tronçonnez les branches de céleri.

Jetez les carottes, les blancs de poireaux, le céleri dans la cocotte, sur les oignons. Ajoutez le bouillon de légumes, le vin blanc, la sauge, le laurier, salez, poivrez.

Laissez cuire environ 15 minutes à couvert avant d'ajouter les dés de saumon.

Remuez et prolongez la cuisson environ 10 minutes.

Ôtez les feuilles de laurier et de sauge, et servez dans un plat creux, saupoudré d'aneth frais, accompagné de riz complet.

Salade de crevettes aux asperges

Ingrédients pour 4 personnes
250 g de crevettes grises décortiquées
500 g d'asperges fraîches ou 250 g de pointes d'asperges
1 belle salade (laitue, batavia, frisée...)
1 échalote
1 citron
100 g de fromage blanc maigre
2 gousses d'ail
1 branche d'estragon
1 cuillerée à soupe de vinaigre aromatisé
Sel, poivre

Préparation

Lavez et épluchez les asperges, faites-les cuire 15 minutes dans l'eau bouillante salée. Égouttez-les, gardez les pointes et jetez les tiges.

Faites cuire les crevettes, décortiquez-les (vous pouvez également acheter des crevettes cuites décortiquées). Égouttez-les et laissez-les refroidir.

Lavez soigneusement et épluchez la salade.

Préparez la sauce en mélangeant le vinaigre, le jus de citron, l'échalote hachée et le fromage blanc maigre, salez, poivrez.

Disposez la salade dans un saladier, ajoutez les feuilles d'estragon finement ciselées, les crevettes décortiquées, et finissez par les pointes d'asperge. Versez la sauce et servez.

Tarte aux sardines

Ingrédients pour 6 personnes
24 sardines
200 g de pâte feuilletée, bio de préférence
6 courgettes
2 gousses d'ail
5 branches de persil
2 branches de basilic
1 branche de thym
1 branche de laurier
30 cl huile d'olive
1 dl de vinaigre
Sel, poivre du moulin

Préparation
Nettoyez, videz les sardines. Ôtez les arêtes. Réservez au frais.

Pelez les courgettes, découpez-les en rondelles, puis faites cuire dans un faitout à feu très doux avec l'ail, le thym, le laurier, le vinaigre et l'huile d'olive jusqu'à ce qu'elles deviennent fondantes.

Ajoutez le persil ciselé, salez, poivrez.

Déroulez la pâte, placez-la dans un moule à tarte garni de papier sulfurisé.

Étalez la préparation sur la pâte, ajoutez les filets de sardine en rosace et faites cuire au four à 200° C (thermostat 7), pendant 15 minutes environ.

Paupiettes d'anchois au basilic

Ingrédients pour 4 personnes
24 filets d'anchois cuits
4 tranches de pain de mie complet
2 poivrons verts
2 gousses d'ail
2 citrons
2 œufs
1 bouquet de persil
1 bouquet de basilic
1 dl d'huile d'olive vierge extra
Sel, poivre du moulin

Préparation

Faites cuire les poivrons au four, dans un pat huilé, pendant 10 à 15 minutes. Quand ils sont cuits, ôtez les graines, épluchez-les, découpez-les en lanières, disposez-les dans un plat, salez, poivrez, arrosez d'huile d'olive et replacez au four pour terminer la cuisson encore 10 minutes.

Faites mariner les filets d'anchois dans le jus du citron pressé.

Passez au mixeur le pain de mie, le persil, le basilic, l'huile d'olive, l'ail, le sel, le poivre du moulin. Farcissez les filets d'anchois de cette préparation.

Dans un plat, dressez les anchois sur les poivrons et décorez de jaunes et de blancs d'œufs hachés.

Velouté de lotte aux aubergines

Recette pour 6 personnes
1 kg de filets de lotte
500 g d'aubergines
2 oignons
1 gousse d'ail
1 grand verre de vin blanc sec
1,5 l de bouillon de légumes
1 branche de basilic
1 petit bouquet de persil
3 clous de girofle
Sel, poivre

Préparation

Pelez et émincez l'oignon, hachez l'ail épluché. Faites-les revenir dans une grande casserole, à l'huile d'olive.

Versez le vin blanc sec, ajoutez les 3 clous de girofle, le persil haché.

Faites réduire de moitié à feu moyen, ajoutez le bouillon de légumes, salez, poivrez et portez à ébullition.

Lavez et épluchez les aubergines, détaillez-les en dés ou en rondelles, et ajoutez-les à la préparation.

Laissez cuire à couvert pendant 10 minutes.

Ajoutez les filets de lotte lavés, épluchés et détaillés en petits morceaux. Faites cuire encore 10 minutes à feu doux. Vérifiez que le poisson et les légumes sont cuits, ôtez les clous de girofle, et passez la préparation au mixeur.

Versez dans une soupière, parsemez de basilic frais et servez.

Légumes

Légumes farcis

Ingrédients pour 6 personnes
2 tomates
1 aubergine, 1 gros poivron vert
1 oignon émincé, 1 gousse d'ail
2 cuillerées à soupe d'huile d'olive vierge extra
600 ml de bouillon de légumes
3 cuillerées à soupe d'aneth haché
1 cuillerée à soupe de persil frais haché
1 cuillerée à soupe de menthe fraîche hachée
Huile d'olive
200 g de riz complet précuit
Sel, poivre

Préparation
Coupez l'aubergine en 2 dans le sens de la longueur ; ôtez-en la chair, hachez-la.

Coupez le poivron en 2, ôtez-en les pépins. Ôtez le sommet des tomates, évidez-les, hachez-en la chair.

Dans une poêle, faites revenir l'oignon, l'ail et la chair de l'aubergine à l'huile d'olive pendant 10 minutes, puis ajoutez le riz et laissez cuire encore 2 minutes.

Ajoutez alors la chair des tomates, le bouillon de légumes et assaisonnez. Portez à ébullition et faites mijoter 15 minutes à feu doux. Ajoutez l'aneth, le persil et la menthe.

Faites blanchir 3 minutes l'aubergine et les poivrons dans une grande quantité d'eau bouillante salée, puis égouttez.

Placez la préparation à base de riz dans l'aubergine, le poivron et les tomates. Disposez ces légumes dans un plat allant au four, arrosez d'un filet d'huile d'olive, et faites cuire 30 minutes environ.

Gratin d'aubergines

Ingrédients pour 3 personnes

2 aubergines
2 oignons
3 œufs
3 cuillerées à soupe d'huile
2 gousses d'ail
1/2 cuillerée à café de safran
1/2 cuillerée à café de paprika
1 cuillerée à soupe d'eau bouillante
Persil frais haché
Sel, poivre

Préparation

Préchauffez le four à 180° C.

Dans une poêle, faites dorer les oignons dans un petit peu d'huile d'olive. Ajoutez l'ail haché, et faites cuire encore 2 minutes en remuant.

Pelez les aubergines. Détaillez-les en cubes. Ajoutez-les à la préparation. Laissez cuire 5 minutes environ.

Laissez refroidir le mélange obtenu. Pendant ce temps, battez les œufs en omelette. Ajoutez le safran et le paprika. Terminez par la préparation à base d'aubergines. Versez le tout dans un plat à gratin antiadhésif.

Faites cuire 30 à 40 minutes, saupoudrez de persil frais, et servez accompagné de céréales complètes.

Haricots verts aux anchois

Ingrédients pour 4 personnes

800 g de haricots verts frais ou surgelés
8 filets d'anchois cuits, frais ou en conserve
1 gousse d'ail
1 oignon
1 petit bouquet de persil
1 petite branche de thym
1 cuillerée à soupe d'huile d'olive
Sel, poivre

Préparation

Faites cuire les haricots verts à la cocotte ou dans une grande quantité d'eau salée. Égouttez-les.

Hachez finement les anchois, l'ail, l'oignon, le persil. Faites revenir le tout dans une poêle, à l'huile d'olive.

Ajoutez les haricots verts, salez, poivrez, remuez, laissez cuire 5 minutes et servez.

Soufflé d'aubergines

Ingrédients pour 4 personnes
3 aubergines
1 gousse d'ail
1/2 l de lait de soja nature
4 œufs
1 cuillerée à soupe de farine de blé complète
1 pincée de cumin en poudre
Sel, poivre

Préparation
Préchauffez le four à 180° C.

Lavez et pelez les aubergines. Détaillez-les en tronçons et faites-les cuire dans une grande quantité d'eau bouillante salée ou à la vapeur.

Dans une casserole, versez un demi-verre de lait de soja. Quand il est chaud, ajoutez la farine et remuez pour obtenir une préparation onctueuse.

Versez le reste de lait. Quand le mélange arrive à ébullition, baissez le feu et remuez jusqu'à ce que la préparation épaississe.

Salez, poivrez, ajoutez le cumin en poudre, l'ail écrasé. Réduisez les aubergines en purée.

Pendant que les deux préparations refroidissent, montez les blancs d'œufs en neige très ferme.

Incorporez les 4 jaunes d'œufs à la purée d'aubergines, puis ajoutez les blancs d'œufs battus en soulevant délicatement la préparation afin de ne pas les casser. Versez dans un moule à soufflé. Enfournez pour 30 minutes environ. Servez aussitôt.

Gâteau d'épinards au cresson

Ingrédients pour 4 personnes

1 kg d'épinards frais
300 g de cresson frais
200 g de fromage blanc maigre
4 œufs
1 pincée de noix muscade
Sel, poivre

Préparation

Lavez et épluchez les épinards et le cresson en ôtant la partie fibreuse. Faites fondre les légumes à feu doux dans un grand faitout, à l'huile d'olive. Salez, poivrez, ajoutez la noix muscade.

Hors du feu, dans une grande jatte, mélangez le fromage blanc battu aux épinards et au cresson, ajoutez les œufs battus.

Versez dans un moule à cake et faites cuire 15 minutes environ à four moyen.

Pain de chou-fleur

Ingrédients pour 4 personnes
1/2 chou-fleur
4 cuillerées à soupe de riz complet
1 cuillerée à soupe de chapelure
2 cuillerées à soupe de fromage blanc
1 cuillerée à café de sauce de soja
1 pincée de noix muscade
1 pincée de paprika
Sel, poivre

Préparation
Lavez le riz plusieurs fois. Égouttez-le. Placez-le dans une grande quantité d'eau froide salée.

Pendant qu'il cuit, lavez et épluchez le chou-fleur. Détaillez-le en bouquets. Faites-le cuire dans une grande quantité d'eau bouillante salée ou à l'autocuiseur. Quand il est cuit, réduisez-le en purée.

Rincez et égouttez le riz complet. Incorporez-le à la purée de chou-fleur. Ajoutez la sauce de soja, la noix muscade râpée, la pincée de paprika, salez, poivrez.

Versez la préparation dans un plat huilé allant au four. Saupoudrez la surface de chapelure.

Faites cuire à four moyen environ 15 minutes.

Servez bien chaud, pour accompagner un plat de poisson ou de viande.

Topinambours à l'ail

Ingrédients pour 4 personnes

1 kg de topinambours
3 gousses d'ail
200 g de fromage blanc
1 cuillerée à soupe d'estragon
Sel, poivre

Préparation

Épluchez les topinambours, lavez-les et coupez-les en morceaux.

Dans une cocotte antiadhésive, faites cuire les morceaux de topinambours et 2 gousses d'ail coupées en gros morceaux.

Laissez cuire à feu vif 2 à 3 minutes puis faites mijoter à feu doux pendant 20 minutes en remuant de temps en temps.

Préparez la sauce : dans un grand bol, mélangez le fromage blanc battu, la gousse d'ail restante hachée menu et l'estragon. Salez et poivrez.

Lorsque les topinambours sont cuits, recouvrez-les de sauce, laissez chauffer 1 petite minute et servez immédiatement.

Flan de courgettes à l'origan

Ingrédients pour 4 personnes
400 g de courgettes
4 œufs
1/2 l de lait écrémé
1 branche d'origan
1/2 cuillerée à café de paprika
Sel, poivre

Préparation
Lavez les courgettes sans les peler. Coupez-les en rondelles. Plongez-les dans une casserole d'eau bouillante salée. Sans couvrir, portez à ébullition à feu vif, puis cuisez encore 5 minutes à feu doux. Les courgettes doivent être cuites, mais fermes.

Rincez à l'eau froide, égouttez et couvrez.

Cassez les œufs dans un plat creux. Battez-les en omelette avec une fourchette, tout en incorporant le lait, le sel, le paprika. Battez ensuite au fouet électrique pendant 1 minute.

Séchez les rondelles de courgette et les feuilles d'origan lavées dans un torchon propre. Disposez les rondelles de courgettes dans le fond d'un plat antiadhésif, versez une louche de la préparation lait/œufs, disposez à nouveau des rondelles de courgettes. Parsemez de feuilles d'origan. Continuez jusqu'à utilisation complète.

Cuisez 25 minutes au bain-marie à four moyen (180° C).

Ce plat se consomme chaud ou froid.

Céleris au paprika

Ingrédients pour 4 personnes

4 branches de céleri
1 yaourt bulgare
1 tasse de bouillon de légumes
1 cuillerée à café de vinaigre de vin
1 cuillerée à café de paprika
1 pincée de piment de Cayenne
1 petit bouquet de persil
Sel, poivre

Préparation

Lavez les branches de céleri et épluchez-les en ôtant les feuilles indigestes.

Hachez-les en réservant les cœurs.

Faites cuire dans un faitout, à l'huile d'olive, les feuilles de céleri haché. Laissez cuire 2 minutes avant d'ajouter par-dessus les cœurs tranchés en 2 dans le sens de la longueur.

Couvrez d'eau froide, ajoutez le bouillon de légumes, 1/2 cuillerée à café de paprika, salez, poivrez.

Faites cuire à couvert, à feu modéré, pendant 30 minutes environ.

Pendant ce temps, préparez une sauce avec le yaourt, le vinaigre, du poivre, une pincée de sel éventuellement, le piment de Cayenne, le reste de paprika.

Mélangez jusqu'à l'obtention d'un mélange homogène.

Égouttez le céleri, laissez-le refroidir avant de le placer dans un plat de service.

Nappez avec la sauce, saupoudrez de persil haché.

Servez froid comme accompagnement de viandes chaudes ou froides, ou même de poisson.

Potée de légumes

Ingrédients pour 5 personnes

2 aubergines
2 courgettes
2 poivrons verts
4 tomates
2 oignons
2 gousses d'ail
Herbes de Provence
Sel, poivre

Préparation

Rincez soigneusement tous les légumes. Épépinez les poivrons et coupez-les en lanières.

Ôtez les extrémités des courgettes et coupez-les en épaisses rondelles ; il n'est pas nécessaire de les éplucher.

Coupez les tomates en 8 et hachez finement les gousses d'ail.

Ôtez les extrémités des aubergines et coupez-les en gros dés.

Hachez grossièrement les oignons.

Placez dans votre cocotte et dans cet ordre les oignons, les poivrons, l'ail, les aubergines, les courgettes et les tomates.

Parsemez d'herbes de Provence et laissez cuire à couvert et à feu très doux pendant 3/4 d'heure.

10 minutes avant la fin de la cuisson, ôtez le couvercle si les légumes ont rendu trop d'eau.

Salez, poivrez. Mélangez avant de servir.

Taboulé à l'ancienne

Ingrédients pour 8 personnes
150 g de semoule de blé bio
5 tomates bien mûres
2 oignons
3 citrons
4 bouquets de persil
20 olives noires
1 belle branche de menthe verte
6 cuillerées à soupe d'huile d'olive
Sel, poivre du moulin

Préparation

Lavez la semoule de blé à l'eau froide, égouttez-la dans une passoire très fine, puis placez 1 heure au frais afin qu'elle prenne du volume.

Lavez les tomates, le persil, la menthe, séchez-les soigneusement.

Ciselez finement le persil et la menthe, hachez-les.

Coupez les tomates en tout petits cubes, épluchez et hachez les oignons, recueillez le jus des citrons.

Incorporez à la semoule, dans une grande jatte, les tomates en cubes, les olives noires et les oignons.

Ajoutez le jus de citron, l'huile d'olive et la menthe. Poivrez.

Lavez les feuilles de salade, épongez-les et placez-les dans le fond d'un grand plat. Salez le taboulé, versez-le au milieu, et servez.

Les feuilles de salade restantes seront roulées en cornet pour manger le taboulé à la main.

Tomates au basilic

Ingrédients pour 6 personnes
(comptez au moins 2 heures de repos au frais)
10 belles tomates
1 échalote
1 bouquet de basilic
Huile d'olive
Sel, poivre du moulin

Préparation
Pelez les tomates, découpez-les en rondelles et écrasez-les grossièrement à l'aide d'une fourchette. Ajoutez le basilic et l'échalote hachés, salez, poivrez, arrosez d'huile d'olive, mélangez le tout à la fourchette.

Formez de petits palets de cette préparation, placez-les sous presse au moins 2 heures. Au moment de servir, arrosez d'un filet d'huile d'olive, et décorez de quelques branches de persil.

Brouillade aux asperges

Ingrédients pour 6 personnes
12 œufs
800 g d'asperges
1 cuillerée d'huile d'olive vierge extra
1 petit bouquet de ciboulette
1 pincée de sel au céleri
Poivre du moulin

Préparation

Lavez et épluchez les asperges en ne gardant que la partie comestible. Faites cuire à la vapeur afin de conserver intactes les vitamines.

Préparez une omelette en battant les œufs dans un saladier, ajoutez le sel au céleri, la ciboulette finement ciselée, poivrez.

Quand les asperges sont cuites, découpez-les en petits tronçons ; incorporez-les à la préparation.

Faites cuire dans une poêle, à l'huile d'olive vierge extra, sans cesser de remuer à l'aide d'une fourchette.

Servez aussitôt, accompagné d'une salade verte et de belles tranches de pain complet.

Oignons farcis

Ingrédients pour 6 personnes
8 oignons blancs
1 tomate
120 g de feuilles de chêne
50 g de fromage de brebis au choix
Huile d'olive vierge extra
Basilic
Sel, poivre

Préparation

Découpez le sommet de 6 oignons de manière à former une base et un couvercle. Évidez la base. Cette pulpe sera hachée avec 2 autres oignons.

Faites revenir cette préparation dans une poêle, à l'huile d'olive. Pendant ce temps, pelez, épépinez et découpez la tomate en gros dés, jetez-la dans la poêle, ajoutez le basilic haché et, à froid, le fromage de brebis écrasé.

Placez au four les oignons entiers évidés et leurs couvercles. Laissez cuire environ 10 minutes. Ôtez-les du four, farcissez-les avec la préparation à base de tomate, disposez à nouveau dans le plat

Arrosez d'huile d'olive, enfournez à 150° C (thermostat 7) pendant 15 minutes. Quand les oignons sont cuits et refroidis, entourez chaque pièce d'une feuille de chêne. Disposez sur un plat et servez avec une salade verte assaisonnée à l'huile d'olive.

Gâteau provençal

Ingrédients pour 8 personnes
(comptez 1/2 journée au frais avant dégustation)
1,5 kg de tomates bien mûres
4 cuillerées à soupe d'huile d'olive
3 feuilles de gélatine
1 pincée d'estragon
1 pincée de safran
2 cuillerées à soupe de basilic haché
1 branche de céleri
1 branche de thym
1 gousse d'ail
2 cuillerées à soupe de cassonade
1 cuillerée à café de piment en poudre
Sel, poivre

Préparation

Ébouillantez les tomates, pelez-les et coupez-les en gros cubes. Réservez-en deux verres pour le coulis. Coupez la branche de céleri en tronçons de 1 cm environ.

Placez dans une casserole les tomates coupées en cubes, les tronçons de céleri, le safran, le thym, l'ail et le sucre, salez, poivrez. Cuisez à découvert 1 heure environ en remuant de temps en temps.

Hachez finement l'estragon et la moitié du basilic.

Faites ramollir les feuilles de gélatine dans de l'eau froide. Quand les tomates sont cuites, passez-les au chinois ; incorporez la gélatine et mélangez pour la dissoudre.

Rectifiez l'assaisonnement et versez dans un moule à cake que vous placerez 1/2 journée au frigo.

Préparez le coulis de tomate d'accompagnement avec les 250 g de tomates qui restent ; assaisonnez, incorporez le basilic restant et l'huile d'olive.

Démoulez sur un plat et décorez de quelques brins de basilic frais.

Poivrons chauds farcis

Ingrédients pour 4 personnes
4 poivrons rouges
300 g de champignons de Paris
200 g de semoule de blé, complète si possible
2 oignons, 2 gousses d'ail
1/2 l de bouillon de légumes
1/2 verre d'eau
1 branche de persil
2 cuillerées à soupe d'huile d'olive
Sel, poivre

Préparation
Pelez et émincez les oignons, pelez et écrasez l'ail. Faites-les dorer dans une poêle à l'huile d'olive, mouillez avec le bouillon.

Lavez et épluchez les champignons, hachez-les grossièrement. Ajoutez-les aux oignons, salez, poivrez, faites cuire environ 5 minutes.

Préparez la semoule selon les indications figurant sur le paquet. Versez-la dans la préparation à base de champignons, ajoutez le persil haché.

Lavez les poivrons, découpez la partie supérieure de manière à former un couvercle, évidez-les soigneusement.

Garnissez les poivrons de la farce, replacez les couvercles, et placez les poivrons verticalement dans un plat pouvant aller au four.

Versez 1/2 verre à moutarde d'eau dans le plat, et faites cuire à four moyen 40 minutes environ. Servez chaud, en accompagnement de viande ou de poisson.

Petits flans de tomate à la ciboulette

Ingrédients pour 4 personnes

4 tomates
1 courgette
2 petits oignons
2 gousses d'ail
50 g de fromage blanc
Le jus d'1/2 citron
1 branche de cerfeuil
1 branche de persil
10 brins de ciboulette
Sel, poivre

Préparation

Pelez les tomates, la courgette, hachez-les grossièrement, pelez et hachez l'ail et l'oignon, mélangez-les dans une jatte.

Ajoutez le fromage blanc, le jus de citron, le persil et le cerfeuil, la ciboulette, salez, poivrez, mélangez bien.

Versez la préparation dans quatre ramequins, placez au frais et servez comme accompagnement de poisson ou de viande, ou seul en entrée.

Tofu pané aux petits légumes

Ingrédients pour 4 personnes
250 g de tofu
150 g de champignons de Paris
1 poivron rouge
1 petit oignon
2 gousses d'ail
2 œufs
1 cuillerée à soupe de farine de blé complète
1 branche de persil
Quelques brins de ciboulette
2 cuillerées à soupe de fromage de brebis râpé
Sel, poivre

Préparation

Découpez le tofu en 4 tranches égales. Essuyez le surplus d'humidité sur du papier absorbant. Réservez sur une assiette.

Battez les œufs, ajoutez la farine, l'huile d'olive, le persil et la ciboulette hachés, salez, poivrez, battez encore.

Faites tremper les tranches de tofu dans cette préparation.

Pendant ce temps, pelez et hachez l'ail, l'oignon. Lavez et épépinez le poivron, détaillez-le en petits cubes. Lavez et épluchez les champignons, détaillez-les en lamelles.

Faites revenir ces petits légumes dans une poêle, à l'huile d'olive, pendant 10 minutes environ.

Ôtez les tranches de tofu de leur panade. Placez-les dans un plat allant au four, et préalablement huilé et fariné. Recouvrez les tranches de tofu des petits légumes cuits, et faites cuire à four chaud 10 minutes environ, saupoudré de fromage de brebis râpé.

Poireaux au tofu

Ingrédients pour 4 personnes
250 g de tofu
2 oignons
4 blancs de poireaux
3 belles tomates
3 gousses d'ail
100 g d'olives noires dénoyautées
1 cuillerée à soupe de ciboulette ciselée
2 cuillerées à soupe d'huile d'olive vierge extra
1 verre de lait de soja
1 cuillerée à soupe d'herbes de Provence
Sel, poivre

Préparation
Huilez un plat allant au four. Disposez sur la surface, en alternance, des tranches de tofu, les oignons pelés et découpés en rondelles, les blancs de poireaux hachés grossièrement, et les tomates en rondelles.

Saupoudrez d'herbes de Provence et d'ail haché, salez, poivrez, ajoutez les olives hachées.

Arrosez d'un filet d'huile d'olive vierge extra. Couvrez de lait de soja, et faites cuire 1 h 30 à four moyen.

Galettes d'oignon au soja

Ingrédients pour 8 galettes
250 g de tofu nature
1 cuillerée à soupe de farine de blé complète
1 petit verre de flocons de soja
1 petit oignon
1 échalote
2 gousses d'ail
1 cuillerée à soupe de sauce de soja
2 cuillerées à café de moutarde forte
1/2 verre de lait de soja
2 cuillerées à café de graines de sésame
Poivre

Préparation

Rincez le tofu. Épongez-le sur du papier absorbant. Pelez l'oignon, l'échalote et les gousses d'ail. Placez ces ingrédients dans le bol du mixeur avec la sauce de soja, la moutarde, les flocons de soja, le lait de soja. Poivrez.

Faites griller les graines de sésame à part dans une poêle antiadhésive, sans matière grasse. Incorporez-les à la préparation. Façonnez des galettes. Passez-les dans la farine.

Faites cuire à la poêle, dans l'huile d'olive, 2 à 3 minutes de chaque côté.

Gratin de patates douces à l'ail

Ingrédients pour 4 à 6 personnes

800 g de patates douces
1 oignon
4 gousses d'ail rose
1 petit verre de lait de soja
2 cuillerées à soupe d'huile d'olive vierge extra
3 cuillerées à soupe de fromage de brebis râpé
1 cuillerée à soupe de chapelure
1/2 cuillerée à café de noix de muscade râpée
Sel, poivre

Préparation

Préchauffez le four à 200° C.

Lavez et pelez les patates douces. Disposez-les dans un plat à gratin. Recouvrez de tranches d'oignon émincé et d'ail haché. Mêlez le fromage de brebis râpé, la noix de muscade et la chapelure. Saupoudrez le gratin de cette préparation. Salez, poivrez, arrosez de lait de soja et d'un filet d'huile d'olive et faites cuire 40 minutes environ.

Petits navets à l'ail

Ingrédients pour 4 personnes

500 g de jeunes navets
12 gousses d'ail
1 petit verre de bouillon de légumes
2 cuillerées à soupe d'huile d'olive vierge extra
1 bouquet de persil
Sel, poivre

Préparation

Pelez les gousses d'ail. Épluchez les petits navets. Dans une cocotte, faites revenir ensemble l'ail et les navets. Mouillez avec le bouillon de légumes, salez, poivrez. Ajoutez le persil haché (réservez-en une cuillerée à café pour la présentation). Faites cuire 20 minutes à feu doux, disposez dans un plat creux, parsemez de persil haché et servez comme garniture des plats de viande, poisson, ou céréales complètes.

Gâteau de scaroles

Ingrédients pour 4 personnes
600 g de scaroles (environ 5 scaroles épluchées)
400 g de tomates
3 œufs
3 cuillerées à soupe d'huile d'olive
40 g de farine de blé complète
2 petits verres de lait de soja
1/2 cuillerée de noix de muscade râpée
Sel, poivre

Préparation
Épluchez les scaroles. Lavez-les soigneusement. Faites-les cuire 5 minutes dans une grande quantité d'eau bouillante salée. Rafraîchissez-les sous l'eau, puis épongez-les le plus possible dans du papier absorbant. Hachez-les grossièrement.

Dans une grande cocotte, faites revenir les scaroles hachées à l'huile d'olive. Incorporez peu à peu la farine. Ajoutez le lait de soja, la noix de muscade râpée, salez, poivrez, faites cuire 3 à 5 minutes.

Ôtez du feu et laissez refroidir. Ajoutez les œufs battus en omelette, mélangez bien pour obtenir une préparation homogène. Versez dans un moule à manqué huilé, mettez au frais 1 heure et servez accompagné d'une sauce aux tomates fraîches et basilic.

Palets de carottes au tofu

Ingrédients pour 4 palets

1 kg de carottes
125 g de tofu nature
3 œufs
3 cuillerées à soupe de sésame grillé
1 bouquet de persil
1/2 cuillerée à café de cumin moulu
Sel, poivre

Préparation

Pelez les carottes. Tronçonnez-les. Faites-les cuire à la vapeur. Quand elles sont cuites, hachez-les grossièrement à la fourchette. Ajoutez le persil haché, le sésame grillé, le cumin moulu, salez, poivrez. Incorporez les œufs battus en omelette, le tofu passé au mixeur. Formez des palets de 10 x 6 cm environ sur 2 cm d'épaisseur, et faites cuire à la poêle, dans l'huile d'olive, 3 minutes par face environ. Servez avec la céréale de votre choix.

Fenouil aux tomates

Ingrédients pour 4 personnes
8 bulbes de fenouil
4 tomates
2 oignons
2 gousses d'ail
1/2 cuillerée à café de paprika
Sel, poivre

Préparation
Lavez les bulbes de fenouil, coupez-les en deux dans le sens de la longueur. Faites-les cuire dans une cocotte, à l'huile d'olive, pendant 5 minutes environ. Ajoutez les oignons hachés, les tomates découpées en petits cubes, l'ail écrasé, le paprika, salez, poivrez, remuez.

Faites cuire 15 à 20 minutes à feu doux, et servez comme garniture.

Courgettes au tofu

Ingrédients pour 6 personnes

4 courgettes
250 g de tofu nature
2 oignons
1 petit bouquet de persil
1 petit bouquet d'aneth
1 petit verre de lait de soja
2 cuillerées à soupe d'huile d'olive
Sel, poivre

Préparation

Pelez les courgettes, découpez-les en 4 dans le sens de la longueur, puis tronçonnez-les. Pelez les oignons, hachez-les grossièrement. Rincez le tofu, détaillez-le en cubes.

Dans une grande poêle, faites dorer les oignons. Quand ils sont cuits, ajoutez l'ail haché, les courgettes, le tofu nature, le persil, l'aneth. Arrosez de lait de soja. Remuez bien, laissez cuire 15 minutes environ.

Servez pour accompagner les céréales de votre choix.

Boulettes aux épinards

Ingrédients pour 4 personnes
1 kg d'épinards frais
2 gousses d'ail
2 cuillerées à soupe de chapelure
1 cuillerée à soupe d'huile d'olive
1/2 cuillerée à café de noix de muscade râpée
1 citron
Sel, poivre

Préparation
Lavez les épinards à grande eau. Faites-les cuire à la cocotte ou dans une grande quantité d'eau bouillante salée (les épinards doivent rester un peu fermes). Arrosez de jus de citron, salez, poivrez, ajoutez la noix de muscade râpée, l'ail écrasé et la chapelure. Formez des boulettes (environ 16), et faites dorer à la poêle, dans l'huile d'olive.

Ce plat accompagne parfaitement les poissons.

FÉCULENTS

Salade de pâtes aux anchois

Ingrédients pour 6 personnes
800 g de pâtes cuites au choix
1 boîte d'anchois
4 tomates
1 concombre
12 radis roses
100 g de feta
12 olives noires
1 petit bouquet de basilic
Sel, poivre

Préparation

Découpez les tomates lavées en petits dés. Pelez le concombre. Coupez-le en 4 dans le sens de la longueur, puis découpez chaque morceau en tranches.

Versez les pâtes froides dans un saladier. Ajoutez les tomates, le concombre, les anchois, les dés de feta et les olives noires. Arrosez d'un filet d'huile d'olive, saupoudrez de basilic haché et servez en plat unique ou en entrée.

Farfalles aux fruits de mer

Ingrédients pour 4 personnes
250 g de farfalles
200 g de moules cuites sans coquilles
200 g de crevettes grises cuites décortiquées
1 échalote
2 gousses d'ail
1 verre à moutarde de vin blanc sec
1 branche de persil
1/2 cuillerée à café de graines de coriandre moulues
Sel, poivre

Préparation

Faites cuire les farfalles dans une grande quantité d'eau bouillante salée. Pendant ce temps, pelez l'échalote, hachez-la, pelez l'ail, écrasez-le et faites revenir dans une poêle à l'huile d'olive, pendant 3 à 5 minutes.

Mouillez avec le vin blanc, ajoutez le persil haché, la coriandre, salez, poivrez, faites cuire 1 minute.

Adjoignez les moules cuites, les crevettes décortiquées, remuez bien, et faites cuire encore 3 minutes.

Égouttez les farfalles. Placez-les dans un plat creux. Versez sur les farfalles le contenu de la poêle, et servez aussitôt.

Pennes aux lentilles roses

Ingrédients pour 4 personnes

250 g de pennes
75 g de petites lentilles
1 carotte
1 petit oignon
1 cuillerée à soupe de fromage de brebis râpé
1/2 cuillerée à café de noix de muscade râpée
Sel, poivre

Préparation

Faites cuire les lentilles roses et les pennes en suivant les instructions figurant sur le paquet. Détaillez la carotte en petits bâtonnets. Pelez et émincez l'oignon. Faites revenir ces deux ingrédients dans une poêle, à l'huile d'olive. Ajoutez la noix de muscade râpée, salez, poivrez.

Égouttez les pâtes et les lentilles, mélangez-les. Ajoutez la carotte et l'oignon, remuez.

Dressez dans un saladier, saupoudrez de fromage de brebis râpé et servez.

Salade de macaronis aux radis roses

Ingrédients pour 6 personnes

400 g de macaronis
12 radis roses
1/2 concombre
2 tomates
3 oignons
2 gousses d'ail
1 pomme
1/4 de verre à moutarde d'huile d'olive vierge extra
4 cuillerées à soupe de vinaigre aromatisé au choix
2 cuillerées à café de moutarde
1 pincée de cannelle
1 branche de persil haché
Quelques brins de ciboulette hachée
Sel, poivre

Préparation

Faites cuire les macaronis selon les indications figurant sur l'emballage. Égouttez et réservez.

Pelez l'ail et l'oignon, hachez-les. Lavez les radis, détaillez-les en rondelles. Pelez le concombre, détaillez-le en très petits dés. Lavez la pomme, découpez-la en tout petits cubes, arrosez-la de jus de citron pour éviter qu'elle ne noircisse.

Dans une jatte, versez l'huile d'olive vierge extra, le vinaigre, la moutarde, salez, poivrez, puis ajoutez les rondelles de radis, l'ail et l'oignon hachés, les oignons, le concombre et la pomme. Mélangez le tout.

Placez les macaronis dans un grand saladier. Versez-y la préparation à base de radis. Laissez mariner 1/2 heure minimum au réfrigérateur. Avant de servir, saupoudrez de persil et de ciboulette hachés.

Servez bien frais, en entrée ou en plat unique.

Salade de tortis à la feta

Ingrédients pour 6 personnes

500 g de tortis
3 tomates
100 g d'épinards frais bien tendres
50 g de feta
Huile d'olive vierge extra
1 branche de basilic
1 petit bouquet de persil
Sel, poivre

Préparation

Faites cuire les tortis selon les instructions du fabricant ; pendant ce temps, épluchez les épinards, lavez-les, essorez-les, essuyez-les bien.

Lavez les tomates, détaillez-les en très petits dés.

Quand les pâtes sont cuites, égouttez-les et passez-les sous l'eau froide.

Ajoutez la feta découpée en cubes, agrémentez d'un filet d'huile d'olive, versez le tout dans un saladier, saupoudrez de basilic haché et servez en entrée ou en plat unique.

Pennes aux agrumes

Ingrédients pour 4 personnes

250 g de pennes crues
100 g de haricots verts frais ou surgelés
2 oranges
1 citron non traité
1 courgette
2 branches de persil
1 cuillerée à soupe d'huile d'olive
Sel, poivre

Préparation

Faites cuire les pennes en suivant les instructions indiquées sur l'emballage.

Pendant ce temps, dans une cocotte, faites revenir à l'huile d'olive la courgette lavée et découpée en cubes, les haricots verts, salez, poivrez.

Pelez les oranges, découpez-les en quartiers, versez-les dans la cocotte, ajoutez le persil, salez, poivrez, remuez, faites cuire encore 2 minutes, décorez de quartiers de citron et servez.

Penninis à la menthe

Ingrédients pour 4 personnes
250 g de penninis crus
1 petit bouquet de menthe fraîche
2 tomates bien mûres
2 gousses d'ail
1 cuillerée à café d'huile d'olive vierge extra
1 cuillerée à soupe de jus de citron
1 pincée de noix de muscade râpée
Sel, poivre

Préparation

Faites chauffer une grande quantité d'eau salée. Versez-y l'huile d'olive. Quand elle bout, ajoutez les penninis, et laissez cuire le temps indiqué sur le paquet à partir de la reprise de l'ébullition.

Rincez la menthe fraîche, essuyez-la soigneusement, réservez quelques feuilles, hachez menu le reste, mettez-le dans une jatte.

Ajoutez l'ail pelé et haché menu, les tomates pelées, épépinées et détaillées en petits cubes, la noix de muscade râpée, le jus de citron, salez, poivrez, mélangez bien.

Quand les penninis sont cuits, égouttez-les soigneusement. Ajoutez la préparation à base de pistou, remuez bien et servez aussitôt.

Millet au céleri

Ingrédients pour 4 personnes

175 g de millet
1 branche de céleri
4 tomates
1 poivron vert
1 concombre
2 oignons
2 gousses d'ail
1 cuillerée à café de racine de gingembre râpée
1 cuillerée à café de graines de coriandre moulues
1/2 cuillerée à café de piment de Cayenne
1 cuillerée à soupe de curry
Sel

Préparation

Faites cuire le millet selon les instructions figurant sur le paquet. Pendant ce temps, faites revenir 5 minutes dans une cocotte, à l'huile d'olive, les oignons pelés et hachés, l'ail pelé et écrasé et le poivron pelé, épépiné et détaillé en carrés.

Ajoutez les tomates pelées et découpées en petits dés, le concombre pelé, épépiné et coupé en dés, la branche de céleri hachée, la racine de gingembre, le piment de Cayenne, le curry, salez.

Faites cuire 5 à 10 minutes, ajoutez le millet cuit et soigneusement égoutté, remuez, laissez cuire encore 5 minutes et servez.

Galettes aux noisettes

Ingrédients pour 4 personnes
200 g de farine de blé complète
100 g de noisettes
2 gousses d'ail
1 œuf
1/2 l de bouillon de légumes
2 cuillerées à café de sauce de soja
1 pincée de noix de muscade râpée
2 cuillerées à soupe d'huile d'olive vierge extra
Sel, poivre

Préparation

Versez le bouillon de légumes dans une casserole. Ajoutez la sauce de soja et l'ail écrasé. Portez à ébullition. Hors du feu, versez la farine, remuez, et replacez sur le feu. Faites cuire à feu doux pendant 20 minutes en remuant fréquemment (la préparation doit épaissir).

Ôtez du feu, laissez refroidir, ajoutez les noisettes concassées, les œufs, la noix de muscade râpée, salez, poivrez.

Façonnez des galettes de 2 à 3 cm d'épaisseur sur 8 cm de diamètre environ. Faites-les dorer dans une poêle, à l'huile d'olive. Placez-les sur du papier absorbant, et servez bien chaud avec une salade verte.

Boulghour aux raisins secs et au gingembre

Ingrédients pour 4 personnes

150 g de boulghour
50 g de raisins secs
1 cuillerée à café de racine de gingembre râpée
4 tomates bien mûres
3 oignons
1 cuillerée à soupe de vinaigre aromatisé
3 branches de menthe
1 pincée de piment de Cayenne
1/2 cuillerée à café de cannelle en poudre
Sel, poivre

Préparation

Faites tremper les raisins secs dans un bol d'eau chaude.

Préparez le boulghour en suivant les instructions figurant sur le paquet.

Dans une grande cocotte, faites revenir à l'huile d'olive les tomates pelées et épépinées, l'oignon pelé et haché avec le vinaigre. Ajoutez le piment de Cayenne, la cannelle en poudre, salez, poivrez.

Incorporez le boulghour, mélangez bien, ajoutez un peu de bouillon de légumes si nécessaire.

Ajoutez la menthe lavée et hachée, le gingembre en poudre, les raisins secs égouttés, faites cuire encore 2 minutes et servez.

Croquettes de boulghour

Ingrédients pour 6 personnes
200 g de boulghour
1 œuf
2 blancs de poireaux
1 gousse d'ail
1 oignon
1 petit bouquet de ciboulette
1 cuillerée à soupe de farine de blé non traitée
2 cuillerées à soupe de chapelure
1 citron non traité de préférence
Sel, poivre

Préparation
Rincez le boulghour à l'eau claire et faites-le cuire en suivant les instructions figurant sur l'emballage.

Pendant ce temps, pelez et émincez l'oignon, lavez les poireaux et détaillez-les en rondelles, hachez l'ail finement.

Quand le boulghour est cuit, rincez-le et égouttez-le soigneusement. Mélangez-le avec l'ail, l'oignon, les poireaux, la ciboulette ciselée, l'œuf battu, la farine, la chapelure, salez, poivrez.

Façonnez des boulettes que vous aplatirez de la main pour former des galettes.

Faites-les cuire dans une poêle, à l'huile d'olive, 3 minutes par face environ.

Servez chaud, arrosé de jus de citron frais.

Curry de lentilles

Ingrédients pour 4 personnes
250 g de lentilles
2 oignons
2 gousses d'ail
1 banane bien mûre
3 clous de girofle
2 cuillerées à café de curry
1 cuillerée à café de graines de cumin en poudre
1 cuillerée à café de graines de coriandre en poudre
1 cuillerée à café de gingembre en poudre
1 bâton de cannelle
Sel, poivre

Préparation

Rincez les lentilles, ôtez-leur éventuellement leurs petits cailloux. Pelez les oignons, détaillez-les en petits cubes.

Pelez l'ail, hachez-le finement.

Épluchez la banane, coupez-la en rondelles.

Dans une grande casserole ou un faitout, faites revenir les oignons à l'huile d'olive.

Quand ils sont devenus transparents, ajoutez l'ail, le cumin en poudre, le gingembre, le curry, la coriandre en remuant. Faites revenir 2 minutes à feu doux.

Ajoutez les lentilles, la cannelle, les clous de girofle. Recouvrez d'eau et portez à ébullition. Laissez cuire à feu moyen 30 minutes.

Quand les lentilles sont cuites, retirez le bâton de cannelle.

Disposez sur un plat de service et décorez avec des rondelles de banane.

Purée de haricots secs à la sauge

Ingrédients pour 4 personnes
400 g de haricots blancs secs
2 belles tomates bien mûres
2 oignons
4 gousses d'ail
3 clous de girofle
1 branche de sauge
1 pincée de noix muscade
Sel, poivre

Préparation
Lavez les haricots secs sous l'eau courante. Faites-les tremper dans une grande quantité d'eau froide pendant 12 heures.

Jetez cette eau de trempage, transvasez les haricots dans une grande casserole contenant trois fois leur volume d'eau et faites cuire à feu doux pendant 1 h 30.

Ajoutez les feuilles de sauge, 1 petit oignon piqué des clous de girofle, et laissez cuire encore 1 h à 1 h 30.

Pendant ce temps, pelez et hachez grossièrement l'oignon restant et l'ail.

Lavez les tomates, et détaillez-les en cubes.

Faites revenir le tout dans une poêle antiadhésive, avec la noix muscade, le sel, le poivre.

Quand les haricots sont cuits, égouttez-les.

Ôtez les clous de girofle de l'oignon, retirez les feuilles de sauge.

Passez au mixeur les légumes et les haricots cuits pour obtenir une préparation lisse.

Servez bien chaud, avec des légumes verts pour accompagner une viande ou un poisson.

Haricots rouges à l'ail

Ingrédients pour 4 personnes

200 g de haricots rouges crus ou 600 g de haricots rouges cuits
6 gousses d'ail
4 courgettes
150 g d'épinards
1 oignon
1 branche de persil
Sel, poivre

Préparation

Faites cuire les haricots rouges en suivant les instructions figurant sur le paquet.

Pelez l'oignon, hachez-le grossièrement, pelez et écrasez l'ail et faites-les dorer 3 minutes dans une cocotte, à l'huile d'olive.

Pelez les courgettes, découpez-les en cubes, ajoutez-les à l'oignon et à l'ail, remuez, salez, poivrez.

Ajoutez les feuilles d'épinards lavées et essuyées, le persil haché, remuez, laissez cuire 3 minutes.

Ajoutez les haricots rincés et égouttés, remuez bien, faites cuire encore 5 minutes, et servez.

Soja aux poireaux

Ingrédients pour 4 personnes
50 g de fèves de soja
4 blancs de poireaux
3 tomates
2 gousses d'ail
2 branches de fenouil
1 bouquet de persil
Sel, poivre

Rincez les fèves de soja. Faites-les tremper dans de l'eau froide pendant 8 heures. Jetez l'eau de trempage et faites cuire les fèves dans trois fois leur volume d'eau.

Pendant ce temps, ôtez la racine et la partie fibreuse des poireaux, en veillant à conserver un maximum de vert.

Lavez-les soigneusement, coupez-les en rondelles.

Lavez les tomates, détaillez-les en cubes.

Hachez l'ail finement.

Lavez et épluchez le fenouil, détaillez-le en petits morceaux.

Faites revenir tous les petits légumes dans un faitout antiadhésif.

Salez, poivrez.

Quand les fèves de soja sont cuites (environ 30 minutes), égouttez-les.

Versez-les dans le faitout contenant les légumes, remuez et faites réchauffer 3 à 5 minutes.

Servez saupoudré de persil frais.

Riz sauvage aux champignons noirs

Ingrédients pour 4 personnes
200 g de riz sauvage
2 gousses d'ail
20 g de noix de cajou
1 boîte de champignons noirs en conserve ou à réhydrater
1 petite boîte de pousses de soja
50 g de petits pois
1 l de bouillon de légumes
1 cuillerée à soupe de sauce de soja
Poivre

Préparation
Faites revenir le riz sauvage et les noix de cajou concassées grossièrement dans une grande poêle, à l'huile d'olive, pendant 5 minutes. Réservez dans un saladier.

Dans la même poêle, faites revenir 3 minutes les champignons noirs réhydratés le cas échéant, les pousses de soja et les petits pois. Incorporez le riz, arrosez de bouillon de légumes, et faites cuire 10 à 15 minutes.

Égouttez, ajoutez la sauce de soja et servez pour accompagner un plat de volaille.

Haricots secs à la coriandre

Ingrédients pour 4 personnes
80 g de haricots secs crus
ou 250 g de haricots secs cuits en boîte
2 oignons
2 gousses d'ail
1 poivron
2 cuillerées à soupe de vinaigre aromatisé
1 cuillerée à café de graines de coriandre pilées
Sel, poivre

Préparation
Faites cuire les haricots secs en suivant les instructions figurant sur l'emballage, ou ouvrez et rincez la boîte de haricots secs déjà cuits.

Pendant ce temps, faites revenir 5 minutes dans une cocotte, à l'huile d'olive, les oignons pelés et hachés, l'ail écrasé, le poivron pelé, épépiné et détaillé en fines lanières.

Égouttez les haricots secs, versez-les dans la cocotte, ajoutez le vinaigre aromatisé, les graines de coriandre pilées, salez, poivrez, remuez et cuisez encore 5 minutes.

Servez pour accompagner vos plats de viande et de poisson, ou pour compléter un plat à base de céréales.

Patates douces au vert

Ingrédients pour 4 personnes
400 g de patates douces
500 g d'épinards frais ou, à défaut, surgelés
2 oignons
2 gousses d'ail
1 branche de persil
1 bouquet de ciboulette
1/2 cuillerée à café de noix de muscade moulue
Sel, poivre

Préparation
Pelez les patates douces. Faites-les cuire dans une grande quantité d'eau bouillante ou à l'autocuiseur. Détaillez-les en cubes.

Faites décongeler les épinards au micro-ondes si vous utilisez des épinards surgelés.

Dans une cocotte, à l'huile d'olive, faites dorer l'oignon pelé et émincé, l'ail pelé et écrasé. Après 3 minutes, ajoutez la noix de muscade râpée, les épinards, salez, poivrez, laissez cuire 5 minutes.

Ajoutez les patates douces, saupoudrez de persil haché et de ciboulette ciselée, remuez, ajoutez les épinards, remuez encore, laissez cuire encore 10 minutes, et servez bien chaud.

Riz complet aux champignons et à l'ail

Ingrédients pour 4 personnes
175 g de riz complet
6 champignons de Paris
4 gousses d'ail
150 g de haricots verts
2 tomates
2 branches de persil
1/2 verre de bouillon de légumes
Sel, poivre

Préparation
Faites cuire le riz en suivant les instructions figurant sur le paquet.

Pendant ce temps, faites revenir dans une cocotte, à l'huile d'olive, les haricots verts frais ou surgelés dans 1/2 verre à moutarde de bouillon de légumes. Après 5 minutes, ajoutez les champignons lavés et détaillés en fines lamelles, les tomates pelées, épépinées et coupées en cubes, l'ail écrasé, le persil haché, salez, poivrez.

Quand le riz est cuit, rincez-le et égouttez-le soigneusement. Versez-le dans la cocotte, remuez bien, faites cuire 3 minutes, dressez dans un plat creux et servez.

Lasagnes à la feta

Ingrédients pour 4 personnes
250 g de tofu
250 g de feta
9 lasagnes
50 g de fromage de brebis râpé
1 verre de lait de soja
1 branche de basilic
1 pincée de noix de muscade
Sel, poivre

Préparation
Émiettez le tofu et la feta à la fourchette. Saupoudrez-les de noix de muscade râpée. Faites cuire les lasagnes à l'eau bouillante salée, égouttez-les. Disposez dans un plat à gratin antiadhésif alternativement lasagnes, tofu et feta. Salez, poivrez, arrosez de lait de soja, recouvrez de fromage de brebis haché, saupoudrez de basilic, et faites cuire à four chaud 20 minutes environ.

Desserts

Fruits au yaourt et au miel

Ingrédients pour 4 personnes
2 pommes, 2 poires, 2 pêches, 2 nectarines, 4 fraises
2 yaourts bulgares
50 ml de miel liquide
1 pincée de cannelle moulue

Préparation
Battez ensemble la cannelle, les yaourts et le miel afin d'obtenir un effet veiné.

Découpez les fruits en quartiers. Placez-les dans un saladier, versez dessus la préparation à base de yaourt, et servez bien frais.

Crème d'amandes au soja

Ingrédients pour 4 personnes
100 g d'amandes en poudre
1 cuillerée à soupe d'amandes effilées
250 g de tofu
70 g de flocons de soja
50 g de sucre de canne roux en poudre
1 citron non traité

Préparation
Dans une poêle, faites griller les flocons de soja avec la poudre d'amandes. Remuez pendant 3 minutes, sans interruption (attention ! les ingrédients ne doivent pas brûler).

Placez le tofu dans le bol du mixeur avec le jus du citron et le sucre de canne roux. Mixez jusqu'à obtention d'une crème fluide. Ajoutez les amandes et les flocons de soja grillés, mixez encore pour obtenir une préparation onctueuse. Si la préparation est trop épaisse, ajoutez un peu de lait de soja et mixez encore quelques instants.

Versez cette préparation dans des ramequins. Placez au frais et servez en dessert ou, pour les enfants, à l'heure du goûter.

Gâteau aux poires et au tofu

Ingrédients pour 4 à 6 personnes
250 g de tofu
200 g de farine de blé complète
100 g de farine de maïs complète
2 pommes
3 œufs
3 cuillerées à soupe d'huile d'olive vierge extra
1 sachet de levure
1 cuillerée à café de cannelle en poudre
1 pincée de sel

Préparation
Allumez le four à 180° C.
Mixez le tofu pour obtenir une crème fluide.
Lavez et pelez les poires. Émincez-les. Placez les morceaux dans un moule rond antiadhésif légèrement huilé.
Versez la farine de blé et de maïs dans une grande jatte. Formez une fontaine. Ajoutez les œufs entiers, le tofu en crème, l'huile d'olive, la levure, la cannelle, salez.
Mélangez bien le tout pour obtenir une préparation homogène.
Versez cette préparation dans le moule, sur les poires.
Faites cuire au four 40 minutes.
Démoulez et servez encore tiède, accompagné d'un coulis de framboises.

Soufflés aux framboises

Ingrédients pour 4 personnes
60 g de framboises
40 g de fraises
2 blancs d'œufs
100 g de fromage blanc maigre
1 sachet de sucre vanillé
1 cuillerée à café d'extrait naturel de vanille

Préparation
Lavez soigneusement les framboises, essuyez-les. Équeutez et lavez les fraises, épongez-les, coupez-les grossièrement en morceaux.

Réservez 4 belles framboises pour la décoration, placez les autres dans le bol du mixeur, ajoutez les fraises, le fromage blanc maigre, le sucre vanillé, l'extrait naturel de vanille, mixez et versez la préparation dans un saladier.

Battez les blancs en neige très ferme. Incorporez-les à la préparation à base de framboises.

Versez dans des moules à soufflé, et faites cuire 8 minutes à four moyen.

Au sortir du four, garnissez chaque soufflé d'1 framboise. Servez immédiatement.

Fruits d'été au vin rouge

Ingrédients pour 4 personnes
150 g de fraises
150 g de framboises
150 g de cerises
150 g de groseilles
3 sachets de sucre vanillé
Quelques feuilles de menthe
2 dl de bon vin rouge

Préparation

Lavez les fraises et les framboises ; équeutez-les. Lavez et dénoyautez les cerises. Rincez les groseilles. Séchez les fruits soigneusement avec du papier absorbant. Disposez-les dans un saladier. Ajoutez le sucre vanillé. Versez le vin rouge. Couvrez. Laissez mariner 1 heure à température ambiante, puis placez 2 heures au réfrigérateur.

Placez les fruits dans 4 coupelles. Filtrez la marinade. Versez-la en proportions égales sur les fruits. Servez décoré d'1 feuille de menthe.

Pastèque gourmande

Ingrédients pour 4 personnes
1/2 pastèque
150 g de groseilles rouges
150 g de framboises
2 cuillerées à soupe de cassonade
1/2 cuillerée à café de vanille naturelle en poudre

Préparation

Épépinez la pastèque. Coupez-la en cubes. Équeutez les framboises, lavez-les. Lavez les groseilles. Épongez-les soigneusement sur du papier absorbant.

Placez les fruits dans un saladier. Saupoudrez de vanille naturelle moulue et de cassonade. Placez au frais 1 heure au réfrigérateur et servez bien frais.

Compote de pêches aux abricots et à la cannelle

Ingrédients pour 4 personnes

4 pêches
12 abricots
50 g de cassonade
50 g de miel liquide
1 cuillerée à café de cannelle
30 cl d'eau
4 framboises

Préparation

Versez le miel dans une casserole. Ajoutez la cassonade, mélangez bien. Allumez le feu, et versez l'eau progressivement en veillant à ce que le mélange ne noircisse pas. Portez à ébullition, et cuisez 2 minutes à feu moyen.

Lavez les fruits, découpez-les en cubes. Pochez-les 30 secondes dans l'eau bouillante. Ajoutez-les au sirop de miel et de cassonade. Faites cuire 10 minutes environ.

Quand les fruits sont cuits, coupez le feu et laissez refroidir 5 minutes.

Versez cette préparation dans le bol du mixeur avec la cannelle. Mixez de manière à obtenir une préparation fluide.

Dressez dans de petits compotiers individuels ; placez au frais. Avant de servir, décorez d'1 framboise.

Nectarines en ramequins

Ingrédients pour 4 personnes
4 nectarines
2 abricots
250 g de tofu nature
1 cuillerée à soupe de cassonade
1 cuillerée à soupe de miel liquide

Préparation
Rincez le tofu nature. Découpez-le en dés.
Lavez les nectarines et les abricots. Dénoyautez-les.
Placez le tout dans le bol du mixeur, avec la cassonade et le miel liquide, pour obtenir une purée fluide.
Répartissez la préparation dans des ramequins individuels. Placez au frais. Servez en tandem avec un fromage blanc au sirop d'érable.

Salade d'agrumes

Ingrédients pour 4 personnes
4 oranges
4 clémentines
2 pamplemousses
1 citron non traité
1 petit verre d'eau de fleur d'oranger
1/2 cuillerée à café de vanille naturelle en poudre

Préparation
Pelez les agrumes. Détaillez-les en quartiers. Arrosez-les de jus de citron, saupoudrez de vanille en poudre. Ajoutez l'eau de fleur d'oranger, parsemez de zestes de citron, dressez dans un saladier et placez au frais au moins 1 heure avant de servir.

Petit pain aux épices

Ingrédients pour 6 personnes
200 g de farine de blé complète
100 g de margarine de tournesol ou d'olive
2 œufs
1 cuillerée à café de levure de boulanger
1 citron non traité
2 cuillerées à soupe de cassonade
100 g de raisins secs
8 abricots secs
1/2 cuillerée à café de noix de muscade râpée
1/2 cuillerée à café de cannelle en poudre
1 pincée de sel

Préparation
Allumez le four (150° C).

Coupez les abricots secs en petits morceaux. Disposez-les dans un bol, avec les raisins secs. Recouvrez d'eau.

Dans une jatte, versez la farine en fontaine. Placez la margarine en morceaux, le sucre, le sel, mélangez bien, ajoutez les œufs un à un, incorporez-les progressivement pour obtenir une préparation homogène.

Ajoutez le zeste de citron, la levure, la cassonade, les raisins et les abricots égouttés, la noix de muscade râpée et la cannelle en poudre. Mélangez le tout pour obtenir une préparation homogène. Si besoin est, ajoutez un peu de lait de soja pour fluidifier la préparation.

Versez dans un moule à cake antiadhésif, et faites cuire au four 45 minutes.

Pêches à la menthe

Ingrédients pour 4 personnes

8 pêches
4 abricots
2 branches de menthe fraîche
1 sachet de sucre vanillé
1/2 verre à moutarde d'eau de fleur d'oranger

Préparation

Allumez le four (position gril).

Lavez et pelez les pêches et les abricots, ouvrez-les et dénoyautez-les. Coupez chaque moitié en 4.

Placez-les dans un saladier, saupoudrez-les de sucre vanillé, arrosez d'eau de fleur d'oranger.

Enfilez les quartiers de pêches et d'abricots sur des brochettes.

Placez au four, et faites cuire environ 5 minutes par côté.

Décorez de feuilles de menthe et servez aussitôt, accompagné de sorbet à la menthe ou au citron, ou encore nature.

Mousse aux bananes et à l'orange

Ingrédients pour 4 personnes

2 bananes
1 cuillerée à soupe de miel
1 sachet de sucre vanillé
1 citron
1 orange
100 g de fromage blanc maigre
2 blancs d'œufs
1 fraise

Préparation

Épluchez les bananes. Passez-les au mixeur avec le jus d'orange et de citron, le miel, le sucre vanillé.

Ajoutez le fromage blanc maigre, mélangez bien afin d'obtenir une préparation homogène.

Battez les blancs d'œufs en neige très ferme. Incorporez-les délicatement à la préparation en soulevant le mélange.

Versez dans des coupelles individuelles, réservez au frais 1 à 2 heures, et servez glacé, décoré d'une lamelle de fraise.

Quatre-quarts au tofu

Ingrédients pour 4 à 6 personnes
100 g de farine de blé complète
4 œufs
1/2 l de lait de soja
60 g de margarine de tournesol ou à l'huile d'olive
250 g de pruneaux
50 g de sucre de canne roux
250 g de tofu
3 cuillerées à soupe de rhum
1 pincée de sel

Préparation
Allumez le four à 180° C.

Faites mariner les pruneaux dans le rhum dilué dans un demi-verre d'eau.

Placez la farine en fontaine. Ajoutez les œufs, le sucre, le lait de soja, la margarine ramollie, le tofu passé au mixeur afin d'obtenir une pâte lisse, mélangez bien afin d'obtenir une préparation homogène.

Versez cette préparation dans un plat à quatre-quarts. Répartissez harmonieusement les pruneaux et faites cuire à four chaud (180° C) pendant 40 minutes environ.

Table des recettes

Entrées. 33
Tarte aux poireaux 33
Tarte aux tomates
et aux olives 34
Tarte aux échalotes
et au comté 35
Tarte sucrée aux oignons
et aux champignons 36
Tarte au fromage
et au tofu 37
Tarte à l'ail rose 38
Tarte aux courgettes 39
Tourte aux champignons
et au paprika 40
Mousse de céleri
au gingembre 41
Pain de légumes 42
Croquettes d'aubergines . 43
Beignets d'oignons 44
Salade de courgettes 45
Salade d'épinards
aux raisins secs 46
Salade de fenouil
aux oranges 47
Salade de macaronis
au gingembre 48
Tomates farcies
aux aubergines 49
Gratin de courgettes
à l'ossau-iraty 50
Flan aux asperges 51
Rouleaux de printemps . . 52
Terrine de saumon 53
Velouté de potiron
aux amandes 54
Potage aux tomates
et aux échalotes 55
Potage au chou-fleur. . . . 56
Velouté de lentilles
à la coriandre 57
Velouté de champignons. 58
Velouté aux courgettes . . 59
Soupe à l'ail 60
Chorba Batata 61
Salade de concombres
au thon frais. 62

Viandes 63
Gratin provençal 63
Croquettes d'agneau. . . . 64
Curry d'agneau 65
Escalopes de dinde
marinées 66
Dinde aux noisettes 67
Croquettes de dinde
au curry. 68
Tajine de dinde 69
Curry de poulet 70
Poulet muscade 71
Poulet à l'estragon 72
Poulet au safran 73
Poulet à la grecque 74
Poulet mariné
à la crème d'ail 75
Poulet au citron 76
Poulet gratiné. 77

Poulet au cumin. 78
Coquelet aux olives noires et au citron 79
Pintade aux champignons noirs 80
Veau aux champignons. . 81
Curry de veau 82
Rôti de veau à la coriandre 83
Rôti de veau à l'anis 84
Bœuf au chou-fleur 85
Bœuf aux oignons 86
Bœuf au paprika. 87
Bœuf aux quatre-épices. . 88
Bœuf en papillotes 89
Porc aux abricots 90
Porc au piment de Cayenne 91
Porc à la coriandre 92
Rôti de porc à l'ananas . . 93

Poissons. 95
Brochettes de thon au fenouil 95
Brochettes de merlu au melon 96
Saumon fumé à l'ananas . 97
Potée de cabillaud aux champignons de Paris 98
Cabillaud au gingembre . 99
Cake de lotte aux échalotes 100
Croquettes de colin . . . 101
Curry de colin 102
Filets de haddock au fenouil. 103
Filets de haddock marinés 104
Filets de saint-pierre à la bière 105
Filets de saint-pierre au safran 106
Brochet aux artichauts . 107
Daurade au vermouth. . 108
Médaillons de daurade aux olives. 110
Lotte aux filets d'anchois 111
Filets de lotte gratinés. . 112
Barbue au concombre et au basilic 113
Barbue à l'estragon 114
Gambas pimentées 115
Langoustines à la tomate 116
Méli-mélo de coquillages aux échalotes 117
Saumon à la tomate . . . 118
Saumon sauce brocolis . 119
Saumon au céleri et à l'aneth. 120
Salade de crevettes aux asperges 121
Tarte aux sardines 122
Paupiettes d'anchois au basilic 123
Velouté de lotte aux aubergines 124

Légumes. 125
Légumes farcis 125
Gratin d'aubergines . . . 126
Haricots verts aux anchois 127
Soufflé d'aubergines . . . 128
Gâteau d'épinards au cresson 129
Pain de chou-fleur 130

Topinambours à l'ail . . 131
Flan de courgettes
à l'origan 132
Céleris au paprika. 133
Potée de légumes 134
Taboulé à l'ancienne. . . 135
Tomates au basilic 136
Brouillade aux asperges. 137
Oignons farcis 138
Gâteau provençal 139
Poivrons chauds farcis. . 140
Petits flans de tomate
à la ciboulette. 141
Tofu pané
aux petits légumes 142
Poireaux au tofu. 143
Galettes d'oignon au soja144
Gratin de patates douces
à l'ail 145
Petits navets à l'ail 146
Gâteau de scaroles 147
Palets de carottes au tofu148
Fenouil aux tomates . . . 149
Courgettes au tofu 150
Boulette aux épinards . . 151

Féculents 153
Salade de pâtes
aux anchois 153
Farfalles aux fruits
de mer. 154
Pennes aux lentilles roses155
Salade de macaronis
aux radis roses 156
Salade de tortis à la feta 157
Pennes aux agrumes . . . 158
Penninis à la menthe . . 159
Millet au céleri. 160
Galettes aux noisettes . . 161
Boulghour aux raisins secs
et au gingembre 162
Croquettes de boulghour163
Curry de lentilles 164
Purée de haricots secs
à la sauge 165
Haricots rouges à l'ail . . 166
Soja aux poireaux 167
Riz sauvage
aux champignons noirs. 168
Haricots secs
à la coriandre 169
Patates douces au vert. . 170
Riz complet aux
champignons et à l'ail. . 171
Lasagne à la feta 172

Desserts 173
Fruits au yaourt
et au miel. 173
Crème d'amandes
au soja 174
Gâteau aux poires
et au tofu. 175
Soufflé aux framboises . 176
Fruits d'été au vin rouge 177
Pastèque gourmande. . . 178
Compote de pêches aux
abricots et à la cannelle. 179
Nectarines en ramequins180
Salade d'agrumes 181
Petit pain aux épices. . . 182
Pêches à la menthe 183
Mousse aux bananes
et à l'orange 184
Quatre-quarts au tofu. . 185